LA CULTURE
ÉCOLOGIQUE

James McInnes

LA CULTURE
ÉCOLOGIQUE

JAMES McINNES

 **Broquet**

97-B, Montée des Bouleaux, Saint-Constant, Qc, Canada, J5A 1A9
Tél. : (450) 638-3338 / Télécopieur : (450) 638-4338
Site Internet : www.broquet.qc.ca
Courriel : info@broquet.qc.ca

CATALOGAGE AVANT PUBLICATION DE LA BIBLIOTHÈQUE NATIONALE DU CANADA

McInnes, James

La culture écologique : le gazon, le potager, les plates-bandes, les arbres et les arbustes

Comprend des réf. bibliogr. et un index.

ISBN 2-89000-637-9

1. Jardinage biologique. 2. Animaux et plantes nuisibles, Lutte biologique contre les.
3. Compostage. I. Titre.

SB453.5.M32 2004   635'.0484   C2004-940265-X

POUR L'AIDE À LA RÉALISATION DE SON PROGRAMME ÉDITORIAL, L'ÉDITEUR REMERCIE :
Le Gouvernement du Canada par l'entremise du Programme d'Aide au Développement de l'Industrie
de l'Édition (PADIÉ) ; La Société de Développement des Entreprises Culturelles (SODEC) ;
L'Association pour l'Exportation du Livre Canadien (AELC). Le Gouvernement du Québec -
Programme de crédit d'impôt pour l'édition de livres - Gestion SODEC.

Photographies : James McInnes (sauf mention contraire)
Révision : Marcel Broquet
Infographie : Josée Fortin, Brigit Levesque

Broquet Inc.
Copyright © Ottawa 2004
Dépôt légal - Bibliothèque nationale du Québec
1er trimestre 2004

Imprimé au Canada

ISBN : 2-89000-637-9

TABLE DES MATIÈRES

INTRODUCTION

La culture écologique a des racines millénaires. Afin de survivre, les premiers agriculteurs devaient optimiser les conditions d'existence et les relations entre tous les êtres vivants : sol, plantes et animaux.

Un beau gazon, de belles fleurs, des fruits et de beaux légumes sans pesticides, est-ce possible, aujourd'hui ?

Si le sol est vivant, la réussite est assurée : les adeptes de la culture écologique qui harmonisent leurs interventions avec la vie du sol créent de magnifiques jardins. Le sol est vivant et grouille de formes de vie qui peuvent tout transformer en engrais, même la roche. Ils apportent les bons amendements, les plantes croissent en santé et résistent aux envahisseurs. Chaque chapitre de ce livre explique comment entretenir vos plantes de jardin sans leur donner de stress, quels engrais utiliser pour stimuler la vie du sol et quels produits employer pour aider le gazon, le potager, les fleurs et les arbres à se protéger.

Vers l'an 1800, la pensée scientifique se répandait en occident : pour la première fois, l'homme tentait de comprendre la matière par l'observation et d'expliquer les phénomènes par des lois. La science agricole, de son coté, cherchait à comprendre la nutrition des plantes. En 1844, Liebig découvre que les plantes peuvent absorber des éléments solubles et non seulement des matières organiques dégradées. Cette découverte des engrais solubles ou chimiques a créé l'agriculture industrielle et l'a propulsée au devant de la scène, avec l'appui des gouvernements et des centres de recherche.

Parallèlement, d'autres chercheurs, des enseignants de certaines écoles d'agriculture et des fermiers regroupés autour des ces lieux de connaissance, découvraient les diverses formes de vie du sol et comptaient les myriades d'êtres vivants qui s'y trouvent. Ils ont observé quels apports ou engrais stimulaient le plus la vie du sol et la nutrition des plantes. Grâce à la science agricole, ils ont multiplié les rendements des récoltes et protégé leurs cultures. L'Agriculture Biologique, nommée ainsi parce qu'elle travaille avec la vie, obtenait des rendements économiques équivalents à la méthode chimique.

L'agriculture organique fut longtemps pratiquée par quelques irréductibles, sur environ 1% des terres, disséminés dans toute l'Europe et quelques-uns en Amérique. Depuis la crise de la vache folle, la culture écologique s'implante davantage car elle répond à des préoccupations d'intégrité et d'authenticité. On y compte de plus en plus d'adeptes et les superficies en biologie sont rendues à plus de 7% des terres cultivées en Europe du Nord, 8% en Italie, 12% en Autriche, 10% en Suisse…

Le jardin est un écosystème en soi, par l'extraordinaire diversité des plantes qui y poussent dans un espace beaucoup plus limité et plus dense qu'un habitat naturel. Toutes les plantes y croissent : les arbres, les arbustes, la pelouse et parfois au-delà d'une centaine de variétés de fleurs différentes qui, chacune à leur tour, éclosent du début du printemps jusque tard à l'automne.

La culture écologique fait pousser les plantes du jardin en tenant compte de la vie de tous les êtres vivants, du plus petit organisme du sol, jusqu'à l'homme. Le jardin écologique attire de nombreuses espèces animales : petits mammifères, amphibiens, oiseaux, mollusques, insectes qui viennent l'habiter, le visiter et s'y nourrir. Par leur diversité, ils deviennent des auxiliaires de lutte et contribuent à l'équilibre biologique.

Déclaration d'ouverture de Johanne Gélinas, commissaire à l'environnement et au développement durable, pour sa conférence de presse à la suite du dépôt du Rapport de 2003, le 7 octobre 2003 :

(...) « *Certains pesticides ont été homologués pour la première fois dans les années 50. Il est probable que certains pesticides disponibles sur le marché ne satisfont pas aux normes actuelles et, par le fait même, menacent la santé de la population et l'environnement.*

Prenons le cas des pesticides pour le traitement des pelouses. L'Agence de réglementation de la lutte antiparasitaire qui fait partie de Santé Canada s'est engagée à réévaluer huit pesticides d'usage courant d'ici 2001. Or, le travail n'est pas encore terminé. Pourtant, bon nombre de Canadiens utilisent toujours ces pesticides sans savoir si les risques sont acceptables. » (...)

Les gouvernements soucieux de la santé publique ont dû réglementer l'usage des pesticides sur les terrains privés et publics. L'État réagit de plus en plus à la pression des citoyens et tourne le dos au puissant lobby de l'agriculture industrielle.

Le jardin écologique est la voie de l'avenir. La clé de la réussite est de maintenir une vie intense dans le sol afin de rendre le sol fertile pour les plantes. Ce manuel d'écologie appliquée au jardin fourmille de conseils, de recettes et de trucs inédits. Ce livre vous accompagnera sur le chemin de l'ouverture à la vie et sur le chemin de la conscience.

N. B. Dans ce manuel d'horticulture écologique, les mots écologique, biologique et organique ont le même sens, sont synonymes et interchangeables.

1 LE GAZON

Un gazon c'est beau, c'est vert, c'est vivant. Quand je m'y promène, cela me calme du stress quotidien, de la ville et de la vie trépidante. J'aime y jouer, y marcher et m'y reposer. Le tapis végétal purifie l'air et garde la température fraîche

Pas étonnant que le gazon soit l'une des plus grandes surfaces en culture sur la terre, celle qu'on engraisse le plus et par le fait même, celle qu'on protège le plus des ravageurs.

⟨⟨⟨ Un gazon c'est beau, c'est vert,
c'est vivant et ça calme du
stress de la ville...

L'herbe s'entretient facilement et repousse après chaque coupe. Cette plante accumule dans ses racines et basses tiges, des réserves suffisantes pour une nouvelle repousse. Si la tonte est basse, les réserves s'épuisent, alors on applique plus d'engrais. Si l'on continue à effectuer une tonte basse, l'herbe stressée perd sa résistance, on doit alors la protéger des ravageurs. Le secret d'un gazon en santé est donc la réduction du stress, par la coupe haute à 7,5 cm (3 po) ce qui entraîne de meilleures réserves dans les racines.

La matière organique et les engrais naturels stimulent la rhizosphère, une sorte de zone de libre échange qui se situe autour des racines, où la plante interagit avec la vie du sol. Une pelouse verte et en santé qui habite un sol en santé ; voilà, la pierre angulaire d'un gazon écologique.

Un gazon coupé à 7,5 cm (3 po) de hauteur et fertilisé ⟩⟩ aux engrais naturels devient vert, résistant et en santé. Il combat les mauvaises herbes, n'est pas sujet aux problèmes d'insectes ou de maladies et consomme très peu d'eau.

L'ABC DE L'ENTRETIEN ÉCOLOGIQUE DU GAZON

À FAIRE :

- ▷ Tondre à 7,5 cm (3 po) de hauteur et laisser les résidus au sol

- ▷ Fertiliser avec des engrais naturels à chaque printemps

    Choisir un bon engrais naturel 8-3-3 ou 9-2-2, à libération prolongée (toute la saison), avec une source d'azote organique (farine de plumes, etc.),

    Pour l'équilibre minéral, épandre du basalte, une poudre de roche.

À FAIRE, SI NÉCESSAIRE :

▷ **Contrôler les mauvaises herbes**
Arracher les mauvaises herbes au tire-racines à la main, s'il y a lieu, avant la tonte.

▷ **Arroser aux 10 jours**
Un gazon coupé à 7,5 cm (3 po) peut rester vert et vivant tout l'été et sans arrosage. S'il survient une sécheresse, il suffit d'arroser copieusement, 2,5 cm (1 po d'eau, à tous les 10 jours.

▷ **Sursemer, la meilleure façon de rénover**
Épandre des semences à gazon sur le sol encore gelé, à la fin de l'hiver est certainement la meilleure façon de rénover une pelouse.

▷ **Terreauter pour améliorer le niveau de matière organique**
Terreauter avec du compost, de la terre à jardin et de la mousse de sphaigne permet de recouvrir les semences, d'aplanir et de densifier le gazon.

▷ **Chauler quand le pH est en-dessous de 6.0**
Les sols sableux ont plus souvent besoin de chaux donc, les chauler quand le pH est en-dessous de 6.0.

▷ **Rouler**
Passer le rouleau à pelouse, au printemps, après une pluie abondante (le sol doit être fortement détrempé) permet d'aplanir une pelouse légèrement inégale.

À LAISSER FAIRE :

▷ **Le contrôle des insectes nuisibles par la lutte biologique**
Les nombreux ennemis naturels des insectes nuisibles et la résistance du gazon empêchent l'apparition d'épidémies.

▷ **Les maladies, contrôlées par la prévention**
Une pelouse sans stress, dans un sol vivant, avec un bon équilibre minéral est tolérante aux maladies.

▷ **L'aération par les vers de terre**
La matière organique vivante et les galeries de vers de terre créent une aération naturelle (meilleure que la machine).

▷ **Le déchaumage par l'activité microbiologique**
L'activité microbiologique intense transforme le chaume en humus.

L'ABC DE L'ENTRETIEN ÉCOLOGIQUE DU GAZON[1]

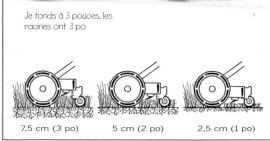

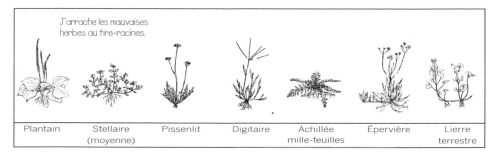

Plantain	Stellaire (moyenne)	Pissenlit	Digitaire	Achillée mille-feuilles	Épervière	Lierre terrestre

[1]Illustrations tirées de *LAWN CARE*, reproduites avec la permission de NOVA SCOTIA DEPARTMENT OF AGRICULTURE, *Truro*.

L'ENTRETIEN ÉCOLOGIQUE DU GAZON

Obtenir une pelouse bien verte et en santé, requiert moins de temps et d'efforts grâce à la vie qui se trouve dans le sol. Il vous suffit de suivre les quelques principes biologiques suivants :

À FAIRE   TONDRE À 7,5 CM (3 PO) ET LAISSER LES RÉSIDUS AU SOL

Hauteur idéale 7,5 cm (3 po) = moins de stress
Les dernières recommandations des spécialistes, au sujet de la hauteur de coupe des pelouses sont de 6 à 8,5 cm ($2^{1}/_{2}$ à $3^{1}/_{2}$ po), selon la variété de gazon. Ils s'entendent tous pour affirmer que la tonte à 7,5 cm (3 po) diminue le stress de la pelouse et augmente sa résistance.

La profondeur des racines = la longueur du brin d'herbe
Il y a une relation directe entre la hauteur de coupe et la masse des racines de l'herbe. La racine tend à être de la même longueur que la hauteur du brin d'herbe du gazon. Plus le brin d'herbe est court, plus les racines sont courtes et moins il absorbe d'eau et d'engrais, moins il a de réserves pour la repousse. La tonte haute à 7,5 cm (3 po) de hauteur augmente la masse des racines et la tolérance au stress de la coupe, un facteur clé de la gestion de la pelouse. Avec ses racines profondes, la pelouse requiert moins d'arrosage et d'engrais et elle est beaucoup plus résistante pendant la sécheresse.

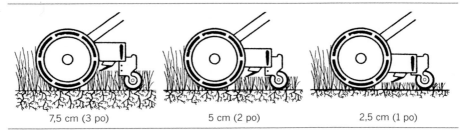

7,5 cm (3 po)   5 cm (2 po)   2,5 cm (1 po)

La longueur du brin d'herbe détermine la profondeur de la racine. Le gazon coupé à 7,5 cm (3 po) habite mieux le sol et est plus résistant.

Des réserves au maximum – pour la croissance et la protection contre la canicule

Après la coupe, l'herbe puise dans ses réserves (racines et tiges basses) et dans l'air par la photosynthèse, tout d'abord pour sa respiration et son métabolisme, puis pour construire les cellules de la repousse et enfin pour refaire ses réserves.

Bien des gens pensent que le gazon pousse plus vite lorsqu'il est coupé plus long. En réalité, il pousse autant, mais pas au même rythme.

La plante coupée à 7,5 cm (3 po) possède plus de cellules vertes que coupée à 5 cm (2 po).

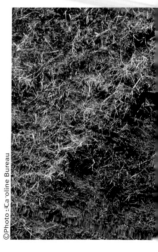

- ▷ L'herbe coupée à 3 cm (1½ po) ayant peu de réserves pousse lentement au début, puis elle prend une flambée de croissance. Coupée à 5 cm (2¼ po), pendant qu'elle est en pleine repousse, elle ne comble pas ses réserves. Les racines sont courtes et les réserves restent basses. Durant les périodes de canicule et de gel, l'herbe courte n'a pas de réserves suffisantes pour sa respiration ; elle abaisse son métabolisme, tombe en dormance et jaunit. L'herbe ne reprend sa croissance qu'après avoir refait ses réserves.
- ▷ Le gazon coupé à 7,5 cm (3 po) possède 2 fois plus de réserves et de cellules vertes. L'herbe se met donc à pousser rapidement au début et ralentit ensuite sa pousse pour refaire ses réserves avant la prochaine coupe. Les herbes coupées hautes ont des réserves suffisantes pour la repousse et la respiration pendant la sécheresse. Même phénomène, en fin d'automne ; elles restent vertes une semaine de plus pendant le gel.

©Photo : Caroline Bureau

AVRIL	MAI	JUIN	JUILLET	AOÛT	SEPTEMBRE	OCTOBRE
15	15	15	15	15	15	15

Quand le gazon pousse-t-il le plus ?

Cycles de croissance du gazon. (*Lawn Care* N.S. Dept. of Agr.)

Pas plus du tiers de la hauteur

Ne coupez pas plus du tiers de la longueur de l'herbe, sinon cela va lui donner un choc et l'empêcher d'accumuler des réserves dans ses racines. Si vous coupez le gazon à 7,5 cm (3 po), celui-ci peut pousser jusqu'à 11 cm (4½ po) avant la prochaine tonte. Croître de 3 cm (1½ po) prend plus de temps. Une tonte par semaine devrait donc être suffisante au printemps et en automne lors des fortes croissances. En été, il n'est pas rare d'attendre jusqu'à deux semaines entre les tontes et même un mois pendant la canicule de juillet.

Les mauvaises herbes mises en échec

L'herbe plus longue et plus dense fait une compétition féroce pour l'espace aux plantes envahissantes en créant une ombre intense au sol. La germination des graines de mauvaises herbes est ainsi réduite, surtout celles de la digitaire.

Le Guelph Turf Institute (GTI) de l'Université de Guelph en Ontario a étudié pendant 3 ans, de 1991 à 1993, l'infestation relative des mauvaises herbes dans des parcelles de gazon, par rapport à 3 hauteurs de coupe (court : 2,5 cm, moyen : 5 cm et haut : 7 cm), sans utilisation d'herbicide. La troisième année, en 1993, il y avait 31 % de moins de mauvaises herbes dans les parcelles de gazon coupé (haut) à 7 cm que dans le gazon coupé (court) à 2,5 cm et 23 % de moins dans le gazon haut que dans le gazon coupé (moyen) à la hauteur de 5 cm.[2]

Même si le chercheur de Guelph a conclu qu'il n'y a, statistiquement, pas de différence significative entre les infestations relatives aux hauteurs de coupe, mon expérience sur le terrain m'a permis de constater une diminution significative des mauvaises herbes par l'utilisation des coupes hautes. Cette diminution des mauvaises herbes permet aux chercheurs de Michigan State d'affirmer que :

> ► La tonte à 7,5 cm (3 po) de hauteur, est une excellente façon de réduire l'usage des herbicides surtout si le gazon est bien fertilisé et en croissance.

‹‹‹ La tonte à 7,5 cm (3 po) de hauteur, est une
excellente façon de réduire l'usage des herbicides.

---

[2]HALL J.C. et al., Non-chemical weed control. II. Effects of mowing height en established turf. GTI, Université de Guelph, Ontario, Rapports annuels 1992 et 1993,

Une tondeuse électrique/Une lame aiguisée/
Une pelouse bien sèche

Utilisons une tondeuse électrique ou à batteries. Elles polluent moins par le bruit et ne produisent pas de gaz à effet de serre. Une partie appréciable des gaz à effet de serre et du smog de l'été provient en effet des tondeuses à essence. Leurs moteurs ne sont pas munis de système anti-pollution et sont, pour la majorité, des moteurs 2-temps qui produisent deux fois plus de polluants que les moteurs 4-temps. Une tondeuse à essence pollue autant que 40 vieilles automobiles fonctionnant pendant le même temps et autant que de rouler 550 km avec son automobile.[3]

Le bruit du moteur à essence est aussi beaucoup plus intense que le moteur à batterie. Le coût d'opération de la tondeuse à essence est 4 fois plus élevé (achat, essence et entretien) : 80$ et plus par an ; tandis que le coût annuel de la tondeuse électrique est d'environ 21$ et la tondeuse à batterie de 42 à 50$.

Pour une tonte rapide et une coupe bien nette, il faut toujours bien aiguiser la lame. Ce procédé, très simple, réduit à presque zéro le risque d'attaque de la plaie par les insectes ou les maladies.

‹‹‹ Avant de passer la tondeuse électrique, planifiez vos passages afin de vous éloigner de la prise de courant.

©Photo : Caroline Bureau

Il est aussi important que la pelouse soit sèche avant d'être tondue pour éviter les risques d'accidents.

Les rognures de gazon : un fertilisant naturel et gratuit

Laissez l'herbe coupée sur le sol. L'herbe retourne dans la terre et nourrit les micro-organismes. En deux jours, tout est disparu. Les résidus ne font pas de chaume, contrairement à une croyance populaire. Ils contiennent 80 % d'eau et de la matière organique verte riche en azote (rapport C/N de 13 : 1) qui maintient une activité biologique intense à la surface du sol.

Si pour une bonne raison, vous ne laissez pas les résidus au sol, servez vous-en, de préférence, comme mulch au potager ou sur une plate bande. Les rognures de gazon sont 3 fois trop riches en azote pour faire du compost, elles pourrissent et puent au lieu de composter. Donc si vous les compostez quand même, mélangez le gazon en parties égales avec de la matière brune : des feuilles mortes ou de la mousse de sphaigne.

Laisser les rognures de gazon équivaut à appliquer 25 à 30 % de la quantité de fertilisants sur la pelouse (500 g (1 lb) d'azote par 100 m² (1000 pi²) par année). Cet apport d'engrais supplémentaire rend le gazon plus vert et plus dense, et crée une activité microbienne intense à la surface du sol. Ce mulch de gazon protège contre les pertes d'humidité par évaporation et réduit significativement le besoin en eau.

En automne, passez la tondeuse à mulch sur les feuilles sèches et laissez-les se décomposer au sol. C'est plus facile, cela ne coûte rien, et cela ne fait pas de déchets. On a évalué les effets sur le gazon du broyage de deux épaisseurs de feuilles : 5 cm et 10 cm (2 po et 4 po).[4] Il n'y a pas de différence, si on broie 50 cm (2 po) et jusqu'à 10 cm (4 po) de feuilles. Je pense que l'apport de feuilles est positif à long terme.

[3] AIR POLLUTION CONTROL DISTRICT, *Mow down pollution*, County of San Diego.
[4] MICHIGAN STATE UNIVERSITY EXTENSION, *Mowing lawns* in Turf Series, 4/99.

<<< Fermez le clapet ou bloquez la sortie de la tondeuse. Les brins d'herbe vont se disperser vers le bas à travers le gazon.

©Photo : Caroline Bureau

La tondeuse

Une tondeuse à mulch est conçue pour déchiqueter les rognures de gazon et les disperser également à travers les brins d'herbes ; mais elle n'est pas essentielle. Une tondeuse ordinaire, dont la sortie est bloquée, peut aussi très bien faire l'affaire, à condition de garder la lame bien aiguisée. La plupart des tondeuses les plus récentes sont munies d'un clapet prévu à cet effet.

LA FERTILISATION NATURELLE

Le gazon a besoin d'engrais... naturels

La vitalité du gazon est la meilleure prévention contre les mauvaises herbes, tous les connaisseurs vous le diront. Le gazon fertilisé croît plus vite que les herbes indésirables et les étouffe. Il a besoin d'engrais, mais les herbes envahissantes elles, n'en ont pas besoin. Les gazons sans engrais se font envahir. Après une bonne application d'engrais naturels, on entend souvent la remarque suivante : « Il me semble que seul le gazon pousse et que les mauvaises herbes ne poussent plus ! ».

Les gazons fertilisés avec des engrais naturels restent verts plus longtemps. Leur vert saute aux yeux : c'est un vert différent, plus profond, qui dure malgré les sécheresses et les intempéries. Une couleur qui reflète la fertilité du sol et de son équilibre minéral.

L'engrais naturel... annuel

Les engrais naturels se dissolvent et se minéralisent tout au long de la saison de croissance, grâce à l'activité des micro-organismes du sol. L'engrais naturel nourrit la vie du sol qui, à son tour, nourrit la pelouse. Dans ce milieu équilibré, le gazon reste vert et vigoureux tout l'été. Il résiste facilement aux mauvaises herbes et aux ennemis de la pelouse. Les meilleurs pépiniéristes en vendent tous.

Les autres engrais (souvent appelés engrais chimiques) sont faits pour se dissoudre très rapidement dans le sol. Les minéraux passent dans la solution du sol et ensuite directement dans la plante ; l'effet dure environ un mois. Pour obtenir un effet uniforme, pendant toute la saison, il est nécessaire de renouveler l'application régulièrement, par exemple par 4 traitements. Ce type d'engrais est le plus courant dans les pépinières.

Une fois l'an, au printemps

La meilleure façon de tirer parti des engrais naturels, pour un gazon domestique, c'est de les appliquer en une seule fois, à chaque printemps. Au mois de mai, la croissance des plantes est à son maximum, le sol se réchauffe, les micro-organismes s'activent à transformer ces aliments. L'herbe reçoit beaucoup d'engrais d'un seul coup, mais la libération de ces engrais organiques dure toute la saison et il n'y a pas de risque de brûlure. Les arbres et les arbustes de la pelouse préfèrent tous recevoir l'engrais au printemps, plutôt que réparti jusqu'en fin d'été et en automne.

Les engrais du commerce

La plupart des pépiniéristes offrent des engrais naturels pour pelouses. Ces engrais n'ont pas tous la même efficacité ni la même vitesse de réaction. La qualité des ingrédients fait la qualité de l'engrais. La loi n'oblige pas les manufacturiers à indiquer sur le sac les ingrédients contenus dans l'engrais. Cependant, je vous recommande d'acheter des engrais avec la liste des ingrédients indiquée sur le sac. Recherchez les engrais complets dont le premier ingrédient est la farine de plumes, un des meilleurs engrais naturels à dégagement prolongé, qui réagit rapidement et dégage son azote pendant 5 à 6 mois. (Voir : Annexe I).

Pour le gazon, on utilise des engrais avec le premier chiffre élevé comme 8-3-3 ou 9-2-2. Suivez la recommandation du manufacturier ou appliquez une dose annuelle de 10 kilos par 100 m^2 (1000 pi^2) et l'effet durera jusqu'en automne.

SACHEZ REPÉRER LES ENGRAIS NATURELS

Les pépinières offrent une certaine variété de fertilisants naturels. Pour repérer les fertilisants naturels à pelouse, recherchez les ingrédients suivants sur l'emballage ou faites votre propre mélange avec ces engrais :

▸ Azote (N) : farine de plumes, farine de sang, farine de poisson, farine de crevette, tourteau de soya, luzerne séchée, gluten de maïs, etc.

▸ Phosphate (P_2O_5) : poudre d'os, Os Fossile, phosphate minéral naturel.

▸ Potasse (K_2O) : sulfate de potasse, sul-po-mag, cendres de bois.

Évitez les produits dont le contenu de l'emballage demeure imprécis, par exemple : bio-solides un terme qui cache des boues d'égout. Sachez que les fumiers séchés ou déshydratés, qui ne sont pas compostés, doivent se décomposer sur votre terrain (avec les odeurs caractéristiques), avant de faire pousser le gazon et les plantes. Si un engrais n'améliore pas la vie du sol, il n'est pas accepté en Agriculture Biologique, ni dans votre jardin.

Appliquer les engrais naturels en une ⟩⟩⟩
seule fois, à chaque printemps.

UNE RECETTE SIMPLE POUR LE PLUS BEAU DES GAZONS

▷ QUOI ?

Un engrais naturel (8-3-3, 9-2-2, etc.) à base de farine de plumes…
   +
Un amendement de poudre de roche de basalte.

▷ COMBIEN ?

8-3-3   10 kg / 100 m^2 ou (22 lb / 1000 pi^2).
   +
Basalte 10 kg / 100 m^2 ou (22 lb / 1000 pi^2).

▷ QUAND ?

En mai, avant que la croissance des plantes ne soit à son maximum.

▷ COMMENT ?

Tout l'engrais en une seule fois et pour toute l'année.

Pour l'équilibre minéral, du basalte, une poudre de roche

Le basalte, une poudre de roche, est l'amendement naturel tout usage par excellence. Utilisez-le pour enrichir les sols ; il fait verdir les gazons en une semaine. Son emploi dans un programme de fertilisation, augmente la résistance du gazon aux maladies, au jaunissement, au piétinement et à la sécheresse. Son effet est remarquable sur les sols légers (sable et terre noire). Il se transforme en argile de qualité pour le développement du complexe argilo-humique. (Voir : Annexe II).

Cet amendement minéral est à la fois :

▷ **engrais riche** en K : 3,5 %, Mg : 3 %, Ca : 3 %, Fe : 5 %, Si : 58 % et oligo-éléments ;

▷ **apport d'argile** les poussières font de l'argile pour former le complexe argilo-humique des sols sableux et de la terre noire.

▷ **support pour toutes les formes de vie du sol.**

▷ **prévention contre les insectes et les maladies fongiques** parce qu'il contient 58 % de silice. Les ravageurs ne peuvent percer l'enveloppe des cellules enrichies à la silice. (Voir : Annexe II).

Appliquez une dose annuelle de 7-10 kg par 100 m² (1000 pi²).

À FAIRE, SI NÉCESSAIRE

CONTRÔLER LES MAUVAISES HERBES

Un gazon dense, en santé et en croissance ne laisse pas de place aux mauvaises herbes. Les bonnes pratiques comme la tonte à 7,5 cm (3 po) et la fertilisation naturelle du gazon, à chaque année, augmentent la densité du gazon et étouffent les mauvaises herbes. Tous les spécialistes savent que **la compétition du gazon** est le plus efficace de tous les moyens de contrôle des herbes envahissantes. Vous faites quelques sessions de tire-racines et voilà, le tour est joué.

‹‹‹ Les tire-racines disponibles sur le marché. Le meilleur coûte le moins cher.

Sans engrais, les herbes sauvages sont plus efficaces que le gazon pour extraire du sol leurs éléments fertilisants; ainsi elles poussent, se multiplient et envahissent le gazon. Après l'application de l'engrais, le gazon croît plus vite que les herbes indésirables et elles perdent la course. L'herbe fertilisée gagne la compétition.

Soyons tolérants envers la végétation naturelle. De toute façon, la monoculture du pâturin du Kentucky et la pelouse parfaite sont contre nature. Les autres herbes, les trèfles et les fleurs apportent de la diversité à votre pelouse. Préparez-vous. Un jour, les fleurs blanches de trèfle vont rendre votre gazon indépendant des engrais, des pesticides et de l'arrosage. Quand le gazon ne pousse pas parce que l'ombre est intense, égayez votre jardin, plantez des couvre-sols, comme la pervenche et le muguet (Voir : Les couvre-sols page 54).

Avec un tire-racines, toute la racine peut être extraite d'un coup.

Arrachez les mauvaises herbes qui vous dérangent à l'aide d'un tire-racines efficace. Attention de bien enlever toute la racine. À cette fin, un sol légèrement humide et malléable offre moins de résistance et toute la racine peut être extraite d'un seul coup. Les 2–3 jours qui suivent une pluie sont idéals. Par temps sec, arrosez profondément avant votre séance. Un truc, tirez les racines juste avant de tondre. Ainsi les mauvaises herbes hachées font de l'engrais vert qui prévient les infestations par des plantes de la même famille.

©Photos : Caroline Bureau

Les familles de mauvaises herbes qui envahissent le gazon indiquent, à l'oeil averti, les conditions environnementales qui prévalent à leur expansion : excès d'eau, sécheresse, pauvreté du sol, acidité, compaction, manque de lumière, etc. La connaissance de ces conditions est notre meilleur guide vers la solution de ces problèmes environnementaux et permet la reprise du gazon.

Les mauvaises herbes : indicateurs de l'état du gazon et de la solution au problème[5]

Noms communs	Conditions environnementales
CHARDONS	Manque de phosphate, sécheresse, argiles lourdes.
DIGITAIRES	Sol compact et pauvre, tonte basse, gazon clair, sécheresse.
FRAISIERS SAUVAGES	Acidité.
LIERRES TERRESTRES	Ombre.
LAMIERS	Excès d'eau, gazon clair ou maigre.
MOUSSES	Sol pauvre, compact et mal drainé, acidité, ombre intense.
PATIENCE CRÉPUE OU PETITE OSEILLE, RUMEX	Sols acides.
PÂQUERETTES	Sol pauvre, acide et compact.
PISSENLITS	Gazon clair, tonte trop basse, sol pauvre, sécheresse.
PLANTAINS	Gazon clair, tonte trop basse, sol pauvre.
POURPIERS POTAGERS	Excès d'engrais, mauvais drainage, ombre, gazon clair.
RENONCULES RAMPANTES	Mauvais drainage, ombre.
RENOUÉES DES OISEAUX	Sol compact, trop de trafic.
STELLAIRES MOYENNES	Manque d'azote, sol compact et mal drainé.
VÉRONIQUES	Sol pauvre, mal drainé, chaume, gazon clair.

[5]THURSTON COUNTY PUBLIC HEALTH DEPARTMENT, *Weed Indicators of Stress Conditions and Control Options*, Olympia, WA, USA

SOLUTIONS ÉCOLOGIQUES

Tirer les racines au complet, fertiliser avec de la poudre d'os ou Os Fossile et avec du compost.

Tondre à 7,5 cm (3 po), fertiliser, arroser profondément.

Chauler.

Tailler les arbres, chauler et sursemer avec du trèfle blanc.

Tirer les racines, terreauter et sursemer.

Terreauter, sursemer et fertiliser, tailler les arbres. Planter un couvre-sol, si il y a trop d'ombre.

Tirer les racines, chauler et tondre régulièrement.

Tirer les racines, chauler, terreauter, sursemer et fertiliser.

Tirer les racines, arroser profondément, tondre à 7,5 cm (3 po), fertiliser.

Tirer les racines, tondre à 7,5 cm (3 po), fertiliser, terreauter et sursemer.

Tirer les racines, arroser profondément mais moins souvent.

Tirer les racines, terreauter et sursemer. Remplacer par un couvre-sol si il y a trop d'ombre.

Tirer les racines et couper, terreauter et sursemer.

Tirer les racines et couper.

Fertiliser, terreauter, sursemer. Remplacer par un couvre-sol si il y a trop d'ombre.

Les chercheurs s'ingénient à trouver des herbicides naturels. Ils ont récemment découvert des propriétés herbicides au gluten de maïs (une partie du grain de maïs), un aliment pour les animaux. Le gluten a des propriétés herbicides de pré-émergence : c'est-à-dire qu'il empêche la formation des racines et la germination des graines. Les recherches démontrent que 2 applications, au taux de 6 à 10 kg par 100 m² (1000 pi²), l'une à la mi-mai et l'autre à la mi-août, contrôlent 50 à 60% des semences de mauvaises herbes. Cet engrais azoté, possède une teneur en azote de 10%. Les 2 applications de 6 kg apportent donc suffisamment d'azote pour la saison. Il n'a cependant aucun effet sur les mauvaises herbes bien implantées.

La nature a horreur du vide : les gazons clairsemés et la pelouse parfaite d'une seule sorte d'herbe sont donc contre nature. Le sursemis de graines de gazon de différentes variétés, à chaque printemps comble les vides de la pelouse. Le semis de gazon sur la terre gelée (les semences de gazon ne gèlent pas) fait maintenant partie des travaux routiniers du printemps de bien des jardiniers. Avec le phénomène de gel et de dégel, les graines s'incorporent à la terre et l'on n'a pas à les recouvrir de terreau ni à les arroser. Elles auront germé et pointé avant le beau temps. Au printemps, c'est aussi le bon temps de semer le trèfle blanc (5 à 10 % des graines d'herbes) pour contrôler le lierre terrestre et plusieurs autres herbes indésirables (le trèfle a des propriétés herbicides), tout en éliminant la consommation d'engrais azotés et l'arrosage.

<<< La pelouse parfaite d'une seule sorte d'herbe est contre nature.

ARROSER AUX 10 JOURS

Pratiquez la tonte et la fertilisation décrites ci-dessus et le gazon, avec sa masse de racines, restera vert pendant 7 à 10 jours facilement et sans pluie. Certaines années, avec un régime de pluies bien réparties, les pelouses vivantes, coupées hautes, restent vertes sans arrosage.

Un gazon vivant, fertilisé, bien établi, tondu à 7,5 cm (3 po) de haut restera vert tout l'été, même sans arrosage, si les pluies sont bien réparties.

En effet, les gazons biologiques entrent en dormance plusieurs jours après les autres gazons conventionnels. Les organismes du sol, sous la pelouse, ont structuré le sol en grosses granules, des sortes de microcosmes et qui, renferment une partie d'eau, d'engrais, des milliers de micro-organismes et sont traversé par des radicelles. Dans ces granules, les organismes vivent en symbiose et partagent la réserve d'eau. Ils résistent ainsi plus longtemps aux conditions adverses. Quand j'y repense, il me semble que les plantes «bio», en contact avec la vie, ont plus d'instinct.

Le gazon a besoin, pour maintenir sa croissance, d'environ 25 ml (1 po) d'eau par semaine. Au Québec, la moyenne des précipitations, pendant l'été, est entre 80 à 100 ml (3 à 4 po) par mois, c'est presque assez d'eau pour un gazon résistant, aux racines profondes.

©Photo : Caroline Bureau

Le sol vivant se structure en granules, chacune est un petit monde qui peut fonctionner de façon autonome.

Pour vérifier la quantité d'eau, placez des contenants de 25 mm (1 po) de profond, sous le jet d'eau.

Pour vérifier l'absorption d'eau, attendez 15 à 20 minutes après l'arrosage. Creusez une fente de 20 cm (8 po), avec une pelle, dans le sol, assez large pour y insérer les doigts. L'humidité doit atteindre la profondeur de 15 cm (6 po). Ajustez le temps d'arrosage en conséquence.

> Après 7 à 10 jours sans pluie, quand les brins d'herbe commencent à tourner au jaune, s'il n'y a pas de restriction à l'utilisation de l'eau, arrosez profondément pendant environ 2 heures 25 ml (1 po).

La dormance, pendant la sécheresse

Pendant la sécheresse, le gazon cesse sa croissance et puise dans ses réserves pour sa respiration et son métabolisme. Quand les réserves sont trop basses, le gazon entre en dormance. Les micro-organismes aussi ralentissent leur métabolisme, ceux qui décomposent les engrais naturels ne libèrent pas d'éléments fertilisants, donc la végétation ne brûlera pas. (Contrairement aux engrais chimiques qui eux sont stimulés par la chaleur et peuvent brûler la végétation). Le gazon en dormance tourne au jaune. Il n'est pas mort. S'il reçoit environ 10 mm ($\frac{1}{4}$ à $\frac{1}{2}$ po) d'eau à chaque 2-4 semaines, sous forme de rosée, de pluie ou d'arrosage léger, le gazon gardera assez d'humidité pour survivre à la pire des sécheresses. À ce moment là, on limitera toute forme de circulation sur le gazon pour ne pas augmenter le stress.

Si la sécheresse persiste, il est préférable de laisser l'herbe en dormance, plutôt que de la faire verdir de force par un arrosage intensif. Les plantes en croissance puisent dans leurs réserves. Si la canicule continue, le gazon ne pourra pas refaire ses réserves, diminuera de volume et de racines, et s'épuisera. Les mauvaises herbes pourront alors l'envahir.

Compte tenu de la brièveté des sécheresses au Québec, soyons patients et attendons l'effet bénéfique des pluies qui ne tarderont pas à survenir. Les gazons écologiques redeviendront immédiatement verts.

Sursemer, la meilleure façon de rénover

Ajouter de la semence de gazon en surface ou sursemer constitue certainement la meilleure façon de rénover une pelouse. Le « vasage », l'épandage de semences à gazon sur le sol gelé à la fin de l'hiver est certainement la façon plus simple de pratiquer le sursemis.

Choisissez bien la semence selon les conditions d'ensoleillement. Les fétuques poussent bien à l'ombre. La grande fétuque, le ray-grass vivace et certains cultivars de pâturin du Kentucky sont tolérants à la mi-ombre. Le pâturin du Kentucky préfère le plein soleil.

La rénovation du gazon passe par le sursemis et, au besoin, par le terreautage, avant toute autre intervention. Réensemencez à chaque fois que le gazon s'éclaircit, avant que les mauvaises herbes prennent la place. Sursemer, apporte du nouveau gazon qui comble les manques et augmente la densité de l'herbe. La végétation existante offre protection aux jeunes pousses. Le résultat est rapide, surtout au printemps lorsque le climat est propice.

Cette pratique valorise la végétation existante. Ces herbes sont bien adaptées à l'environnement de votre terrain : elles ont survécu aux conditions difficiles. Par contre, le gazon en plaques, composé à 100 % de pâturin du Kentucky est mal adapté aux conditions adverses d'un sol pauvre et d'ombre.

LE SURSEMIS PAR « VASAGE »

Le « vasage » ou l'épandage à la volée de semences de gazon, sur la terre gelée, en fin d'hiver, dans la vase, est la façon la plus simple de rajeunir son gazon (les semences de gazon ne gèlent pas). L'alternance du gel et du dégel incorpore la graine au sol. Les pluies, la terre humide et les premières chaleurs provoquent la germination.

Donc, le vasage fait maintenant partie des travaux routiniers de la nouvelle saison. Utilisez un semoir à la main, épandez la moitié des semences dans un sens et l'autre moitié dans l'autre sens. Ne vous en faites pas, s'il reste un peu de neige. Avec le phénomène du gel et du dégel les graines s'incorporent à la terre, on n'a pas à les recouvrir, ni à les arroser. Elles auront poussé avant le beau temps.

Les commerçants affirment que les nouvelles variétés de semences sont plus résistantes aux insectes, aux maladies, à la sécheresse et aux stress environnementaux. Votre centre-jardin est bien pourvu de variétés de semences de qualité, adaptées au soleil, mi-ombre, ombre, etc.

Le sursemis pendant la saison

Rénover votre pelouse par le sursemis pendant la saison, cela nécessite un peu plus de travail que le vasage :

1. Râteler le sol.
2. Sursemer à la volée la semence à gazon. Vous pouvez aussi louer un semoir à coupe verticale à votre magasin d'outils.
3. Terreauter (Voir ci après) pour cacher les graines avec 6 mm (¹/₄ po) de terreau.
4. Arroser tous les jours (sans pluie) pendant au moins 3 semaines.

Le « vasage » est la façon la plus simple de rajeunir son gazon.

La bonne période pour le semis du gazon se répartit de la fin de l'hiver à la fin de septembre, hormis les périodes de sécheresse et de canicule. Même le mois de juillet est bon, si la pluie est de la partie. Le taux de réussite est plus élevé en mai et est encore supérieur de la mi–août à la mi–septembre. Ne semez pas en octobre, le jeune plant d'herbe ne peut croître suffisamment et se faire des réserves pour survivre à un hiver long.

Vous pouvez louer le semoir à coupe verticale, au magasin de location d'outils ; il est recommandé par les professionnels. Le semoir dépose la graine au fond d'un petit sillon et l'enterre à la profondeur idéale. Le semis à la volée se pratique aussi avec un semoir, un épandeur à engrais ou un épandeur à la main. Épandez la moitié des semences dans un sens et l'autre moitié dans l'autre sens pour bien couvrir toute la surface. Recouvrez la semence de 1 cm (¹/₄ à ¹/₂ po) de terreau (Voir : Terreauter, page suivante).

Arrosez 2 fois par jour, matin et soir, excepté les jours de pluie, pendant au moins 3 semaines. Les graines et les jeunes plants doivent rester humides pendant tout ce temps et ne jamais manquer d'eau, pas même une seule journée ensoleillée, jusqu'à l'établissement du gazon.

TERREAUTER POUR AMÉLIORER LE NIVEAU DE MATIÈRE ORGANIQUE

Nous épandons du terreau pour recouvrir les semences de gazon, pour égaliser ou niveler la pelouse et pour améliorer le niveau de matière organique du sol. Le terreautage peut se pratiquer plusieurs fois par saison. Épandez le terreau en couches minces de 1 cm (¼ à ½ po). Les clubs de golf possèdent des machines sophistiquées pour épandre ces couches de terreau. Le jardinier épand le terreau à la pelle et l'égalise au râteau jusqu'à ce que les brins d'herbe passent à travers le terreau.

꙳ Terreauter pour améliorer le taux de matière organique du sol.

©Photo : Caroline Bureau

LA RECETTE :

Fabriquez un terreau très riche en matière organique (sphaigne), vivant (compost) et équilibré en minéraux (engrais).

Une très bonne recette consiste à mélanger en parties égales :
▸ de la mousse de sphaigne,
▸ du compost et
▸ du sable ou de la terre de son jardin.

Recette pour 100 litres :

Dans une brouette de 100 litres on mélange :
▸ 33 litres de vrai compost (Voir : Le compost page 77)
▸ 33 litres de mousse de sphaigne (humide)
▸ 33 litres de terre de votre jardin
dans ces 100 litres, on ajoute les engrais et amendements suivants :
▸ chaux dolomitique ou cendre de bois : 2 kg
▸ engrais naturel 8-3-3 ou poudre d'os : 0,5 kg
▸ basalte, poudre de roche : 2 kg

꙳ Recette de terreau : des parties égales de sphaigne, de compost et de terre de son jardin.

Le terreau, le ⟩⟩ plus riche possible en matière organique, est celui qui est vivant et équilibré en minéraux.

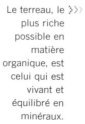

©Photo : Caroline Bureau

©Photo : Caroline Bureau

©Photo : Caroline Bureau

Le jardinier épand le terreau à la pelle et l'égalise au râteau jusqu'à ce que les brins d'herbe passent à travers le terreau.

 1 à 2 mois après le terreautage le gazon est plus dense.

CHAULER QUAND LE pH EST EN-DESSOUS DE 6.0

Il est plus important d'amender avec de la chaux, quand le terrain est acide (pH est en-dessous de 6.0) que de fertiliser. Comme chez les humains, les terres acides ne digèrent pas bien les engrais ; l'activité des micro-organismes est ralentie, les populations de vers de terre régressent, etc..

Sous nos latitudes, l'acidification des terres est un phénomène naturel, les pluies délavent le calcium de la surface des terres vers les couches inférieures du sol. Ce phénomène est ralenti par les sols argileux et les terres franches, comme dans la vallée du Saint-Laurent. Cependant, l'acidification des sols sablonneux et les terres noires est permanente. Voilà pourquoi les sols légers ont plus souvent besoin de chaux. Vérifiez alors régulièrement le pH de ces sols et chaulez quand le pH est plus bas que 6.0.

Donc, apporter de la pierre à chaux calcique (calcium) ou de la pierre à chaux dolomitique (avec magnésium), si le sol est acide (pH est en-dessous de 6.0), est un excellent moyen de corriger l'acidité des sols. Les cendres de bois peuvent remplacer avantageusement la pierre à chaux et apporter aussi de la potasse «pot ash».

N'hésitez pas, chaulez si le sol est acide (testez régulièrement les sols sablonneux). Nous pouvons être certains que le sol a besoin de chaux, si nous avons appliqué un mélange de sable et terre noire du commerce ou de la terre noire ou de la mousse de sphaigne puisque ces produits sont tous acides. La présence de mauvaises herbes acidophiles, comme des fraisiers sauvages, des pâquerettes, des rumex, des mousses, etc. indique un besoin en chaux.

RECOMMANDATION

On applique au moins 10 kg/100 m^2 (1000 pi^2) par année, jusqu'à correction de l'acidité.

ROULER

Le passage d'un rouleau à pelouse, au printemps, après une pluie abondante (le sol doit être fortement détrempé) permet d'aplanir une pelouse légèrement inégale. De plus, on peut rouler pour égaliser les petits monticules de gazon formés par les déjections de vers de terre. Sachez que le rouleau n'égalise pas le gazon irrégulier et ne remplit pas les trous.

Attendez que le sol soit bien détrempé, très tôt au printemps ou après de fortes pluies. Le succès du roulage dépend de malléabilité du sol gorgé d'eau, sans être trop détrempé.

Votre centre de jardin peut vous louer un rouleau que vous emplissez d'eau, selon votre force et la dénivellation du terrain. Le bon poids est atteint lorsque les monticules s'aplatissent et que le gazon ne se déforme pas.

©Photo : Caroline Bureau

≪≪ Rouler pour égaliser les petits monticules formés par les déjections de vers de terre.

À LAISSER FAIRE :

LE CONTRÔLE DES INSECTES NUISIBLES PAR LA LUTTE CULTURALE

La pratique de la culture écologique du gazon, équivaut à faire de la **lutte culturale** car nous rendons l'herbe résistante aux attaques des ravageurs. De plus, les engrais naturels stimulent des milliards d'organismes vivants, dont les auxiliaires de **lutte biologique**. Les auxiliaires sont l'ensemble des prédateurs qui se nourrissent d'organismes nuisibles : fourmis, acariens, nématodes, champignons, bactéries, virus.

Dans la nature, environ 90 % des insectes sont utiles et moins de 10 % sont nuisibles. L'entretien écologique reproduit les conditions de culture idéales à la multiplication des insectes auxiliaires, prédateurs et autres. La tonte du gazon élevée affecte positivement les populations d'insectes prédateurs. Leur grand nombre permet de contrôler les épidémies d'insectes nuisibles.

Après une application d'insecticide chimique, les insectes bénéfiques disparaissent eux aussi. À leur retour, les insectes nuisibles se multiplient plus rapidement que les prédateurs et en viennent à former la majorité des populations, et créer des épidémies.

Offrez-vous une alternative écologique : un traitement choc aux engrais naturels pour ramener l'équilibre et les auxiliaires. Suite à l'application, les insectes et les vers de terre nourris par la plume, l'os, les engrais verts, la chaux et le basalte, sont 10 à 100 fois plus nombreux qu'avec la méthode chimique aux pesticides. Nous pouvons affirmer qu'il en est ainsi pour les auxiliaires de lutte et le reste de la chaîne vivante du sol.

Exemples d'insectes nuisibles contrôlés par la lutte culturale
■ La **punaise velue** se cache dans le chaume. Elle est favorisée par la chaleur, les sols secs, sablonneux, la tonte courte, l'excès d'azote,… Ces conditions favorables n'existent pas dans un gazon écologique : plus de chaume, mulch de gazon vert, tonte longue, azote organique, prédateurs, etc. L'épandage d'un engrais

organique (farine de plumes, etc.) en plein coeur d'une infestation de punaises donne de bons résultats. Il faudra quand
même semer et terreauter pour remplacer le gazon mort. (Voir:
Sursemer, page 36).

■ Les **punaises des céréales** et les **pyrales** vivent dans le chaume.
Les bactéries transforment le chaume en humus et font ainsi disparaître leur foyer de propagation (Voir: Le déchaumage page 45).

■ Les **vers blancs** sont favorisés par une carence minérale en
phosphore et en bore. Ces deux éléments sont apportés par l'Os
Fossile ou phosphate naturel de Tunisie, un engrais et un ingrédient des engrais à gazon. Les vers blancs préfèrent les gazons
courts pour pondre. Les gazons écologiques, coupés haut, sont
plus résistants à l'infestation: leurs systèmes de racines étendus
et profonds résistent plus longtemps. Comme je l'ai mentionné
précédemment, des arrosages de 25 ml (1 po d'eau), aux 10 jours,
encouragent la pousse de racines en profondeur.

Exemple d'un insecte nuisible contrôlé par la lutte biologique
Les ennemis naturels des insectes nuisibles pullulent dans les gazons
écologiques; ils contrôlent les épidémies. Les **vers blancs** sont la
proie des fourmis, guêpes et nématodes prédateurs du sol. L'entretien écologique maintient les populations de vers blancs en dessous du seuil problématique de 8 vers blancs aux 30 cm^2 (pi^2).

LES MALADIES, CONTRÔLÉES PAR LA PRÉVENTION

L'entretien écologique du gazon proposé dans ce livre: engrais
organiques, basalte, tonte à 7,5 cm (3 po), mulch de gazon vert, et
autres pratiques du genre préviennent toutes les maladies suivantes: la pourriture des racines, l'oïdium, le mildiou, la tache brune,
le filament rouge et la tache du dollard. Quelques autres trucs vont
aider la nature à prévenir certaines maladies par elle-même. Fini les
maladies du gazon.

Dès la première saison, l'entretien écologique, nous permet de
corriger les causes principales des maladies du gazon: le sol pauvre,

le chaume, l'azote en excès, le manque de matière organique vivante et d'aération du sol et le peu de pénétration des racines. L'apport de protéines et de poudre de roche de basalte supporte l'activité des bactéries qui transforment le chaume, d'un foyer de maladies, en humus nourricier. Ce basalte, une roche siliceuse (58% SiO_2), apporte au gazon 5,8 kg de silice par 100 m^2 (1 000 pi^2). Le gazon, une plante à silice, en absorbe tellement que tous ses tissus sont imprégnés de silice et les champignons ne peuvent pas les pénétrer. Taillez les arbres pour diminuer l'intensité de l'ombre et drainez le sol pour atténuer l'humidité à l'excès, pour éviter les maladies.

Comment aider la nature à enrayer certaines maladies par elle-même :

1- En cas d'infestation, des applications mensuelles de terreau composé d'aussi peu que 20% de compost par volume, appliqué au taux de 9 kg (20 lbs) de compost*/100 m^2 (1 000 pi^2) éliminent efficacement des maladies comme la tache du dollard, la tache brune, le pythium, l'oïdium, le mildiou, le filament rouge, la brûlure rhizoctone,(…)[6]. (*compost de fumier animal).

2- En automne, n'apportez pas d'azote, hachez les feuilles à la tondeuse, faites la dernière tonte à 5 cm (2 po), ramassez toutes les feuilles et taillez les arbres en cas de manque de lumière. Cette méthode prévient la moisissure des neiges, une maladie à champignons à la fonte des neiges ; le gazon est recouvert d'un mycélium blanc qui disparaît au soleil.

3- La taille des arbres et un sol bien pourvu en en P et en K, préviennent la **Rouille jaune ou orange**. Si cette rouille apparaît, à la fin d'un été humide, elle partira d'elle-même.

4- N'enterrez pas de bois, pour prévenir les **Cercles de fée** « *Fairy rings* » et les **champignons**. Fertilisez avec des engrais organiques, riches en azote (farine de plumes) pour les faire pousser et disparaître rapidement. Ce champignon croît sur le bois de construction enfoui ou sur les racines mortes.

---

[6]NELSON, E.B., *Enhancing turfgrass disease control with organic amendments*, in TurfGrass Trends. June 1996. pp. 1-15.

L'AÉRATION PAR LES VERS DE TERRE ET LA MATIÈRE ORGANIQUE

L'aération mécanique fut inventée pour les gazons chimiques et sans vie. Dans une pelouse où il y a des vers de terre et un bon taux de matière organique, il s'avère inutile de passer l'aérateur.

Un bon niveau de matière organique contribue à l'aération et à la vie du sol. Fertilisez avec de la plume, de l'os, du basalte et laissez le mulch de gazon vert, pour nourrir les vers de terre et, dès la première saison en culture écologique, ils seront 10 fois plus nombreux. Dans un gazon vivant, on compte entre 80 et 300 vers de terre au mètre carré. Les lombrics aèrent le sol en profondeur et de façon plus efficace que l'aérateur mécanique. Les plantes sont stimulées, leurs racines suivent les galeries des vers de terre. Les déjections ou le fumier de vers de terre, laissé dans les galeries, est 10 fois plus riche que la terre environnante. Les éléments fertilisants s'y trouvent sous une forme beaucoup plus assimilable.

Le fumier de vers de terre contient des enzymes qui, répandues dans la solution du sol, catalysent ou accélèrent la décomposition de particules insolubles et grossières en éléments assimilables par les plantes.

La présence de vers de terre dans un gazon indique un processus naturel d'aération et de colonisation par le vivant. C'est un indicateur de la fertilité et de la santé d'un sol.

©Photo : Caroline Bureau

Entrée d'une galerie de vers de terre, le sol est aéré en profondeur.

LE DÉCHAUMAGE PAR L'ACTIVITÉ MICROBIOLOGIQUE

Vous n'avez plus à déchaumer, le travail se fait par l'activité biologique. Les gazons écologiques et vivants ne font pas de chaume parce que les matières organiques sont rapidement décomposées. L'apport d'engrais organiques et de minéraux naturels produit une explosion de l'activité des bactéries du sol qui transforment rapidement le chaume en humus.

Le chaume (la couche ou barrière de matière végétale feutrée qui vous empêche de toucher le sol), plus de 1 cm ($^1/_2$ po), peut devenir un foyer d'insectes parasites (punaises, pyrales, etc.) et une cause de maladies. Nos essais ont démontré que l'application d'engrais (8-3-3) et du basalte, aux doses recommandées au début du chapitre, fait diminuer la couche de chaume de 2,5 cm (1 po) par année. Il faut laisser les résidus de gazon au sol ; ces herbes vertes contiennent en majorité de l'eau et de l'azote et se décomposent rapidement en créant une activité biologique intense. Les rognures de gazon ne forment pas de chaume.

ÉTABLISSEMENT ET RÉNOVATION D'UNE PELOUSE

Partout dans le nord-est américain, les conditions sont bonnes pour l'établissement d'une pelouse : la température, le soleil, la pluviosité… Sur les sols naturellement riches, le gazon s'établit rapidement et sans problème. Les sols pauvres et les terres noires, les «bonnes» terres à jardin du commerce et la terre de remplissage sont toutes trop pauvres et doivent être fortement amendées et fertilisées avant de se transformer en pelouses de rêve. Sur les endroits trop bas, l'eau stagne pendant quelques jours ; drainez afin d'obtenir de meilleurs résultats. Dans les endroits ombrageux, où le soleil ne se rend pas et où il y brille moins de 2 heures, empêchant le gazon de pousser ; plantez du couvre-sol (Voir : Les couvre-sols page 54).

SAUVER SON GAZON :

Vous pouvez encore sauver votre pelouse, même s'il reste seulement 30 % d'herbes de gazon. Ces touffes d'herbes qui ont survécu sont bien adaptées. Faites-les se multiplier et prendre le dessus sur les mauvaises herbes. Améliorez les conditions du sol par l'entretien écologique. Cette végétation va pousser et servir de plante abri pour le gazon que vous allez semer. Les résultats sont plus rapides et cela coûte moins cher.

Pratiquez l'entretien écologique du gazon tel que décrit au début de ce chapitre : chaulez, fertilisez, terreautez, resemez par vasage ou pendant la saison, et votre pelouse va reprendre. Si vous recommencez votre gazon, vous allez devoir faire toutes ces opérations, en plus de passer le motoculteur, de sarcler et de semer.

Acheter de la terre?

Vous êtes quand même décidé de recommencer votre gazon au complet. Allez-vous apporter 5 à 8 cm (2 à 3 po) de bonne terre à jardin, comme on le fait souvent?

Ce serait bien, si la terre était bonne, si c'était de la vraie terre. Mais la terre dans le commerce n'est pas très bonne: elle est fabriquée et souvent pauvre, inerte et sans vie.

La loi du zonage des terres agricoles du Québec défend de décaper les terres arables, donc il n'y a pas de bonne terre à jardin disponible sur le marché, comme il y a 30 ans. La terre à jardin dans le commerce est faite d'un mélange de sable de carrière et de terre noire de marécage. La terre arable, le sol de votre terrain est plus riche et meilleure que ces terres rapportées. Même si votre terre est pauvre et que le gazon ne pousse pas, votre sol est plein de micro-organismes en dormance et de matières organiques qui n'attendent qu'à être stimulés. Quand vous apportez de la terre du commerce, vous diluez la vie et la fertilité de votre terrain. Si vous êtes sur de la terre de remplissage, vous n'avez pas le choix, achetez de la terre. Voici la comparaison entre les deux:

LA TERRE NATURELLE (DE CHEZ VOUS) VS LA TERRE À JARDIN ACHETÉE

TERRE NATURELLE (de chez vous)	TERRE À JARDIN ACHETÉE
1 Ancienne terre à jardin ou à céréales	1- Sable de carrière mélangé à la terre noire, parfois à du compost
2- Riche en minéraux	2- Pauvre, manque de tous les minéraux
3- Riche en micro-organismes et en vie	3- Aucune vie
4- Terre neutre	4- Terre acide (parfois chaulée)
5- Bon espace d'air	5- Peu d'espace d'air
6- Matière organique stable, humus	6- Matière organique fraîche, décomposée en 2 ans
7- Rendre fertile par des amendements et des apports annuels d'engrais organiques	7- Les amendements et les fertilisants annuels vont faire croître le gazon, mais la fertilité ne viendra que dans quelques années

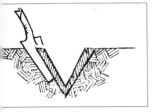

Faites une coupe de sol avec la pelle.

Comment établir une pelouse de rêve à partir d'un sol pauvre

1- Amendez la terre jusqu'à ce qu'elle ait 4 à 5% d'humus.
Faites une coupe de sol avec la pelle, la masse des racines est plus abondante dans les 5 à 8 premiers centimètres (2 à 3 po) de sol, et la terre est plus noire ou plus foncée, plus riche en humus, dans les premiers 15 cm (6 po) de la surface.

©Photo : Caroline Bureau

La terre de surface est plus noire ou plus foncée.

Si la surface est à peine plus foncée que le sous-sol, apportez au moins 0,8 m^3 (1 verge^3) de mousse de sphaigne (tourbe) et 0,8 m^3 (1 verge^3) de compost par 100 m^2 (1 000 pi^2) avant le semis ou les plaques de gazon. Utilisez un râteau pour mélanger ces amendements avec la terre, en préparant le lit de semences. Vous apporterez le reste de la matière organique par terreautage. (Voir : Terreauter page 38).

VOLUMES DE COMPOST ET DE MOUSSE DE SPHAIGNE, POUR FAIRE 0,8 M^3 (1 VERGE^3)

ÉPAISSEUR DE COMPOST	SUPERFICIE DU GAZON	VOLUME DU COMPOST APPORTÉ	POIDS DU COMPOST
0,8 cm (1/3 po)	100 m^2 (1 000 pi^2)	0,8 m^3 (1 verge^3)	450 kg (1 000 livres)
ÉPAISSEUR DE MOUSSE DE TOURBE*	SUPERFICIE DU GAZON	VOLUME DE LA MOUSSE DE TOURBE*	NOMBRE DE M^3 TOURBE COMPRIMÉE*
0,8 cm (1/3 po)	100 m^2 (1 000 pi^2)	0,8 m^3 (1 verge^3)	0,65 m^3 (20 pi^3)

* Ajoutez un sac de chaux dolomitique de 18 à 20 kg à chaque 4 dm^3 (10 pi^3) de mousse de tourbe.

2- **Fertilisez la terre jusqu'à ce qu'elle soit suffisamment vivante et riche** pour bien enraciner et faire pousser le gazon. Apportez au moins les quantités d'engrais du tableau ci-après afin d'obtenir le gazon de vos rêves.

Avec le bon niveau de matière organique le gazon s'accomode de tous les types de sol, de graveleux et sableux à argileux ; le sol se travaille mieux, se draine mieux et est plus aéré. La terre retient plus d'eau, contient plus de micro-organismes.

QUANTITÉS D'ENGRAIS À APPORTER POUR 100 M² (1000 PI²) DE GAZON

Pierre à chaux dolomitique ou cendres de bois	10 kg (et + selon acidité du sol)
Poudre de roche de basalte	10 kg (et + sur sable et terre noire)
Poudre d'os ou Os Fossile (phosphate naturel)	10 kg
Engrais organique à gazon (8-3-3) ou équivalent	5 kg

3- **Sarclez le lit de semence pour détruire les graines et les racines de mauvaises herbes.** Après le passage du rotoculteur, sarclez pour enlever les racines des herbes indésirables. Égalisez le terrain, préparez le lit de semences. Faites un faux semis de mauvaises herbes ; il y a 300 à 600 graines au aux 30 cm² (pi²).

Le **faux semis** : préparez le lit de semences et attendez quelques jours. Dès que le temps est agréable, les mauvaises herbes germent et poussent. Par temps ensoleillé et sec, détruisez ce **faux semis** en binant le terrain au râteau et en exposant les plantules au soleil. Préparez alors un nouveau lit de semences et faites d'autres faux semis jusqu'au vrai semis du gazon.

La saignée : poser des tuyaux de drainage à partir des creux humides, jusqu'au fossé.

4- **Drainez le sol, s'il est encore humide 2 à 3 jours après la pluie.** Faites le drainage de surface avec des rigoles et pour assécher les creux humides. Faites une saignée : creusez une tranchée de 30 cm (1 pi) et + de profond, en donnant une pente régulière, pour faire couler l'eau vers le fossé le plus près. Posez des tuyaux de drainage à partir des creux, jusqu'au fossé. Recouvrez le drain de 10 cm (4 po) de gravier et remplissez la tranchée de terre.

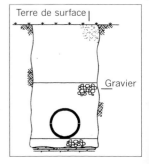

Terre de surface

Gravier

5- Semez le gazon ou sursemez le gazon en plaques. Choisissez les variétés de semences les mieux adaptées aux conditions d'ensoleillement de votre terrain :

- ▶ gazon pour le soleil - plus riche en pâturin du Kentucky ;
- ▶ gazon pour la mi-ombre - mélanges vigoureux ou écolo ;
- ▶ gazon d'ombre, s'il n'y a que 3 à 6 heures de soleil - plus riche en fétuque ;
- ▶ gazon rapide, plus riche en ray-grass vivace ; pousse plus rapidement ; sert de plante abri pour les autres semences.

Si moins de 2 heures de soleil, plantez du couvre-sol.

ÉTABLIR UN NOUVEAU GAZON	REMPLACEMENT TOTAL DU GAZON
Sur la terre nue ou sur de la terre de remplissage :	**Envahi de mauvaises herbes, de chiendent, etc... où l'entretien du gazon n'a que peu de chances de réussite (moins de 20 % de gazon) :**
▶ ramassez les grosses roches et les débris de bois (prévention des champignons) ;	▶ épandez le compost, la mousse de tourbe et les engrais (Voir Amendez et Fertilisez, pages 48, 49) ;
▶ drainez les endroits bas et humides (prévention des maladies) ;	▶ faites deux ou trois passages de rotoculteur ;
▶ apportez la terre de surface, au minimum 2 à 7 cm (1 à 3 po) et égalisez ;	▶ (ou passez la machine Rotadairon à multiples fonctions simultanées : en un passage, elle cultive, enfouit la végétation et laisse le sol prêt à semer.) ;
▶ épandez le compost, la mousse de tourbe et les engrais (Voir : Amendez et Fertilisez, pages 48, 49) ;	▶ sarclez et extirpez à la fourche les racines des mauvaises herbes ;
▶ s'il y a lieu, sarclez et extirpez à la fourche les racines de chiendent et de mauvaises herbes ;	▶ faites un ou plusieurs faux semis (Voir page précédente).
▶ faites un faux semis (Voir page précédente).	

SEMER LE GAZON

▷ **Suivre le taux de semis** recommandé par le grainetier ;

▷ **semer par temps calme**, la moitié des semences dans une direction et l'autre moitié à angle droit ;

▷ **incorporer la semence** au terreau, à $\frac{1}{2}$ cm ($\frac{1}{4}$ po) de profond ou 2 à 3 fois la hauteur de la graine, en râtelant légèrement ;

▷ **roulez le terrain** pour l'égaliser, après le semis et quand le sol est sec, afin qu'il ne colle pas sur le rouleau. Un rouleau de 100 kg devrait faire le travail ;

▷ **arrosez** profondément à jet doux dès la première journée. Arrosez le matin et le soir, tous les jours sans pluie, pour assurer la germination et la survie du jeune plant, chauffé par le soleil. Pendant l'établissement du gazon, il faut maintenir le sol humide mais non saturé d'eau (durée : 3 semaines) ;

DATES DE SEMIS (par ordre de probabilité de réussite)

1er -Fin d'été, de la fin d'août à la fin de septembre ;

2e -au printemps, le plus tôt sera le mieux (les semences de gazon ne gèlent pas) ;

3e -en été, avec de la chance, les jeunes plants s'établiront pendant une période pluvieuse.

Épandre un léger mulch de paille peut aider à maintenir l'humidité, prévenir un séchage trop rapide et maintenir le sol en place avant l'établissement de l'herbe. Utilisez environ 1 balle de paille par 100 m² (1000 pi²).

LE GAZON EN PLAQUES OU LE « TOURBAGE »

Coûteux et instantané, le gazon en plaques ou tourbe de gazon offre toutefois plus de garantie de réussite, surtout en été. Deux semaines d'arrosage et le tour est joué.

Le gazon en plaques est très utile pour enherber les terrains en pente, soumis à l'érosion et les gazons à forte circulation.

Ces plaques de gazon contiennent généralement une seule variété de semence : 100 % de pâturin du Kentucky. Ce gazon exige 12 heures d'ensoleillement, un sol riche et exige beaucoup d'entretien.

▷ **préparez le sol**, comme pour le semis ;

▷ **suivez les conseils** sur la pose donnés par votre fournisseur ;

▷ **passez le rouleau** sur les plaques pour assurer le contact des racines avec le sol ;

▷ **fertilisez** avec un engrais organique (8-3-3, 9-2-2, etc.) : il ne brûle pas et aide à l'enracinement. (Défense de mettre des engrais chimiques, selon le fournisseur) ;

▷ **arrosez** dès la première heure. En été, irriguez à midi et fréquemment pendant 2 semaines, sans marcher sur la partie mouillée ;

▷ **sursemez** de graines de gazon par « vasage » sur la gelée, les 2-3 prochains printemps, afin d'établir d'autres herbes mieux adaptées à votre ensoleillement et à votre terrain (Voir : Sursemer, page 36).

LE GAZON À ENTRETIEN MINIMAL

Le trèfle blanc rend les gazons verts et indépendants de la fertilisation annuelle et de l'arrosage.

Afin de minimiser les coûts d'entretien du gazon, établissez du trèfle blanc, une légumineuse à fleur blanche. Le trèfle peut, à lui seul, améliorer l'écologie des pelouses grandes et petites, jusqu'à les rendre indépendantes des engrais, des pesticides et de l'arrosage. Votre gazon devient permanent par l'ajout de 5 % de trèfle blanc aux semences d'herbes.

Le seul inconvénient, c'est d'habituer votre regard à voir des petites têtes globuleuses blanches dans le gazon. À part cela, vous n'aurez que des avantages :

Habituez votre regard à voir des fleurs de trèfle blanc dans le gazon.

▷ le trèfle blanc fixe l'équivalent de 65 kg d'azote par hectare par année ; c'est le besoin annuel en azote de ce genre de pelouse. Les bactéries symbiotiques, qui forment des nodules sur les racines, fixent l'azote de l'air ;

- ▷ le trèfle fait bon compagnonnage avec les herbes du gazon, comme dans les pâturages permanents ;
- ▷ les trèfles secrètent un herbicide naturel, et ils éliminent plusieurs mauvaises herbes du gazon comme le lierre terrestre (Creeping Charlie) ;
- ▷ le trèfle reste vert pendant la canicule : sa racine pivotante perce le sol en profondeur, cherche l'eau et les engrais ;
- ▷ le gazon au trèfle requiert 2 fois moins de tonte, à la limite, 6 à 7 tontes par année suffisent ;
- ▷ le trèfle améliore le sol en profondeur.

Taux de semis : 100g/100 m^2 (1 000 pi^2)(5-10% du mélange à gazon.)

ÉTABLISSEMENT DE TRÈFLE BLANC NAIN DANS UN GAZON EXISTANT

Règles de base pour établir le trèfle blanc nain dans un gazon existant :

1- **sursemez très tôt**, par vasage, pour que le trèfle germe et pousse avant l'été.

2- Le sol doit être neutre (pas acide) à **pH plus élevé que 6.0**. Corrigez avec la **pierre à chaux** : 10 kg 100 m^2 (1000 pi^2).

3- Être moyennement fertile en **phosphore** et si la teneur en phosphate (P$_2$O$_5$) est plus faible que 120 kg/ha, apportez du **Phosphate minéral naturel** Os Fossile ou de la poudre d'os : 5 kg 100 m^2 (1000 pi^2).

4- Être moyennement fertile en **potasse** et si la teneur en (K$_2$O) est plus faible que 200 kg/ha apportez du **Sul-Po-Mag** ou du Sulfate de potasse : 3 kg/100 m^2 (1000 pi^2).

Sursemez à la volée, de préférence, tôt au printemps, par **vasage** sur la terre gelée (le gel et le dégel font pénétrer les graines dans le sol) en mars-avril, dès que la neige est fondue (les graines germent et croissent avant que l'on circule sur le terrain). Vous pouvez sursemer le trèfle blanc du printemps jusqu'au début de septembre, après, la plante ne peut pas se pourvoir de réserves suffisantes afin de survivre au long hiver.

Le taux de semis du trèfle blanc est de 100 g par 100 m^2 (1000 pi^2) et la façon la plus pratique de faire est d'ajouter 5 à 10 % de trèfle blanc aux semences d'herbes. Répétez ce semis pendant 2 à 3 ans (ou plus, s'il y a lieu).

En cas de recul du trèfle, vérifiez le pH, la teneur en phosphate et en potasse du sol. Chaulez et/ou fertilisez le sol (Voir ci-dessus).

Les couvre-sols d'ombre, comme alternative au gazon [7, 8]

Le gazon dépérit à l'ombre avec moins de 2 heures de soleil. Plantez donc du couvre-sol vivace, pour l'ombre partielle à l'ombre intense. Ces plantes rustiques vont transformer un gazon manqué en une plate-bande verte et fleurie. Nous vous recommandons celles-ci :

Ajuga ou bugle
Ajuga reptans
Bugleweed

©Photo : Édith Smeesters

H. 15 cm E. 1 m. Vivace rampante, feuillage attrayant, vert foncé ou pourpre, se répand par stolons. Porte en été des épis de fleurs bleues. Préfère les sols humides et bien drainés. Supporte le soleil. Se multiplie par division au printemps. Protégez-la des vents d'hiver.

Asarum ou asaret
Asarum canadense
Canada Wild Ginger

©Photo : Édith Smeesters

H. 15 cm. Plante vivace à rhizomes, beau feuillage vert avec les fleurs poussant sous les feuilles. Rustique. Préfère les sols humides et bien drainés Se multiplie par division au printemps et par les graines.

Égopode ou Herbe au goutteux
Aegopodium podagraria 'Variegatum'
Goutweed

©Photo : Édith Smeesters

H. 10 cm. Plante vigoureuse et persistante qui se reproduit par rhizomes. À feuilles lobées, panachées de blanc. Tolère tous les types de sol et de clarté. Plantez-la dans un endroit fermé, ses racines sont envahissantes.

[7]SPANGENBERG, B, *Groundcovers as Lawn Alternatives in Shade, in Lawn* Talk, University of Illinois Extention.
[8]GRANDE ENCYCLOPÉDIE DES PLANTES & FLEURS DE JARDIN, BORDAS, Paris, 1990.

Fougères
Dryopteris
Ferns

H. 1 m. Genre de fougères à feuilles caduques ou semi-persistantes qui forment de belles touffes en couronne. Préfèrent les sols humides et bien drainés. Plantez-la au nord et à l'ombre. Multiplication par division à l'automne et tôt au printemps.

Géranium de Robert
Geranium robertianum

©Photo : Thérèse Romer

H. 25 cm. Genre de plante herbacée annuelle ou vivace à courte vie. Très joli feuillage. Fleurs minuscules, 0,5 à 0,8 cm. Se ressème abondamment ; pas du tout envahissante.[9]

Hostas
Hosta
Hosta, Plantain Lily

H. 30 cm. E. 1 m Genre de plantes dont le feuillage luxuriant forme de grandes touffes rondes et décoratives. Préfèrent les sols riches et bien drainés. Se reproduit par petits rhizomes. Multiplication par division en automne ou au printemps.

Lamier maculatum
Lamium maculatum
Lamium

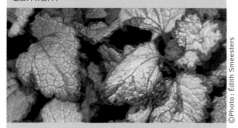

©Photo : Édith Smeesters

H. 15 cm. E. 1 m. Plante vivace tapissante à feuilles vertes semi-persistantes, teintées de mauve ou panachées. Floraison à mi-printemps de verticilles de fleurs mauves ou blanches. Préfèrent les sols humides et bien drainés.

[9]ROMER, T., Fondation, Jardins Chénier-Sauvé. Saint-Eustache, Qc, 2004.

Muguet *Convallaria majalis* Lily-of-the-Valley  ©Photo : Thérèse Romer	H. 15 cm. Plante rhizomateuse qui forme un tapis de feuilles vertes. Fleurit au printemps en petites clochettes doubles pendantes et très odorantes. Se répand rapidement à l'ombre. Peut étouffer des plantes plus délicates. Multiplication par division. Racines toxiques en grandes quantités.
Pachysandra terminalis *Pachysandra terminalis* Japanese Spurge  ©Photo : Édith Smeesters	H. 10 cm ; E. 20 cm. Vivace rampante à belles feuilles lisses et persistantes. En début d'été, des grappes de minuscules fleurs blanches et teintées de pourpre terminent la tige. Se propage par rhizomes pour former un dense tapis de verdure. Protégez-la des vents d'hiver.
Pervenche, petite *Vinca minor* Periwinkle  ©Photo : Édith Smeesters	H. 15 cm. Plante prostrée formant de vastes tapis de petites feuilles vert foncé, persistantes et brillantes. Petites fleurs violettes, bleues ou blanches en fin de printemps. Ses tiges s'enracinent en rampant sur le sol. Protégez-la du soleil et des vents d'hiver.

CAS PRATIQUES

RÉSOLUTION DE PROBLÈMES : (RÉFÉREZ-VOUS À L'ENTRETIEN ÉCOLOGIQUE DU GAZON, POUR LES PRATIQUES SUGGÉRÉES, P. 15,16)

1- Le gazon mangé par les insectes : punaises, vers blancs, etc. Appliquez un engrais organique (farine de plumes, 8-3-3, 9-2-2, etc…) sur la partie affectée. Un mois plus tard, sursemez et terreautez là où il manque du gazon.

2- La butte de gazon sec

Sursemez à chaque printemps par «vasage» et terreautez à chaque mois jusqu'à satisfaction du résultat. Arrosez aux 5 jours par temps sec.

3- Le gazon dans le sable

Appliquez une dose annuelle de chacun des amendements suivants pendant 4 à 5 ans :

- ▷ basalte : 10 kg par 100 m² (1000 pi²) ;
- ▷ phosphate naturel ou Os Fossile : 10 kg par 100 m² (1 000 pi²) ;
- ▷ pierre à chaux dolomitique : 10 kg par 100 m² (1 000 pi²) ;
- ▷ fertilisez avec l'engrais organique : 8-3-3 + basalte à chaque printemps ;
- ▷ terreautez à chaque mois pendant la 1ère année.

4- Le gazon envahi de mauvaises herbes

S'il reste au moins 30% d'herbe à gazon : chaulez, fertilisez, terreautez, resemez par vasage ou pendant la saison, et votre pelouse va revivre. Tirez les racines des mauvaises herbes avant la tonte du gazon.

S'il reste moins de 20% d'herbe à gazon, faites la rénovation totale du gazon.

5- Le gazon aux engrais synthétiques, sans engrais depuis 2 ans

Fertilisez 2 fois la 1ère année ou appliquez une double dose, par exemple à l'automne et au printemps ou 20 kg par 100 m² (1 000 pi²) de 8-3-3 et de basalte. Il faut enrichir le sol en plus de le faire pousser.

6- Le gazon arrosé de produits synthétiques (chimiques) depuis des années

Fertilisez avec une dose habituelle de 10 kg par 100 m² (1 000 pi²) de 8-3-3 et de basalte à chaque printemps. La vie va reprendre et le gazon va reverdir.

7- Le gazon jaune sous les conifères

Amendez avec de la chaux, 10 kg par 100 m² (1 000 pi²), pour éponger l'acidité qui provient des aigrettes de pins, des épines des épinettes et des sapins, etc. Amendez aussi avec du basalte, un amendement naturel tout-usage, au taux de 10 kg par 100 m² (1000 pi²). Il stimule le gazon et les arbres. (Voir : Annexe II).

LE GOLF ÉCOLOGIQUE

Combien y a-t-il de terrains de golf écologiques au Québec?
Le golf est en pleine expansion, les terrains de golf se multiplient.
Nous sommes tous des golfeurs potentiels. Nous aimons ces oasis

LES PESTICIDES SUR LES TERRAINS DE GOLF: MÉLANGE-T-ON LES TOXINES AVEC LE JEU?[10]

La pollution causée par les produits chimiques agricoles utilisés sur les terrains de golf est devenue un sérieux problème.

Quels sont ces problèmes liés à l'usage des pesticides?
Les pesticides utilisés sur les terrains de golf ont la capacité de causer des problèmes pour plusieurs raisons. Les pesticides sont appliqués à un taux élevé (...) et les terrains sont utilisés souvent par beaucoup de monde. Les pesticides utilisés(...) sont souvent toxiques, de façon aigue et chronique, pour les humains et les animaux sauvages (...). Finalement, la contamination par les pesticides peut dépasser les limites du terrain de golf. Les meilleurs exemples étudiés sont peut-être des cas de contamination de la nappe d'eau par les pesticides des terrains de golf.

Taux élevé : une étude sur l'usage des pesticides sur les terrains de golf, publiée par l'Agence de protection de l'environnement des Etats-Unis (EPA), faite par l'Association Américaine des personnes retraitées en 1982, a démontré que les terrains de golf appliquent, en moyenne, 1,5 kg (3½ livres) d'herbicides par acre, la même quantité de fongicides et plus d'un kilo (2½ livres) d'insecticides par acre par année. Au total, l'usage des pesticides dépassait 4 kilos (9 livres) par acre. Dans certaines régions des É. U., les terrains de golf utilisent en moyenne près de 700 kilos (1500 livres) de pesticides par année. C'est un usage de pesticides beaucoup plus intensif que les applications habituelles en agriculture, qui sont en moyenne moins de ½ kg (1 livre) par acre.(...)

Exposition des golfeurs : (...) Des millions de gens qui jouent au golf sont directement exposés aux pesticides utilisés sur les terrains de golf. Cette

---

[10]COX, C, *Pesticides on Golf Courses : Mixing Toxins with Play ?*, in JOURNAL OF PESTICIDE REFORM, Vol. 11, No. 3, Fall 1991.

de verdure. La chimie agricole, avec ses produits synthétiques, a réussit à faire verdir les gazons coupés très court, presque contre nature ; mais qu'il y a-t-il derrière les apparences ?

Voici deux résumés d'articles pour nous faire réfléchir sur le sujet :

exposition est répétée car le golfeur moyen joue plus de 20 fois par année. *(Si les golfeurs jouaient pieds nus, ils soumettraient tous l'environnement aigu aux pesticides par les pieds. Note de l'auteur).*

Conséquences sur les animaux sauvages : la mortalité des oiseaux relative aux pesticides fut un des problèmes les mieux documentés en relation avec l'usage des pesticides sur les terrains de golf.(...)

Contamination de la nappe d'eau : l'étude la plus sérieuse de la contamination de la nappe d'eau associée à l'utilisation de pesticides par les terrains de golf a démontré que la nappe d'eau sous les quatre golfs de Cape Cod était contaminée par 7 pesticides.(...). Le chlordane, un insecticide dont l'usage n'est plus permis, fut retrouvé à des niveaux 200 fois plus élevés que le niveau acceptable pour la santé.

Solutions envisagées :

- ▶ concevoir les terrains de golf de façon à minimiser les problèmes avec les ravageurs et les autres problèmes environnementaux.
- ▶ Réduire les attentes des golfeurs au sujet de l'apparence des terrains. (...) ne plus aller au-delà des limites de la génétique (...) Les coûts pour produire un golf parfait sont financièrement et écologiquement, trop élevés.
- ▶ Rechercher et appliquer des techniques alternatives de lutte aux ravageurs. Le contrôle biologique, la reproduction de nouvelles variétés de gazon résistantes aux maladies et les nouvelles pratiques culturales sont toutes prometteuses pour la gestion des terrains de golf.
- ▶ Augmenter le nombre de programmes de lutte intégrée (IPM) pour les terrains de golf.(...)

LA CULTURE DURABLE DU GAZON[11]

Les résultats d'une étude de 1996 indiquent que plus de pesticides sont utilisés sur le gazon que sur toute autre plante ornementale. Les gazons entretenus intensivement comme les terrains de golf utilisent habituellement de vastes quantités d'intrants sous forme de pétrole, engrais, pesticides et eau d'irrigation. Toutefois, il y a un intérêt grandissant du public et de l'industrie du gazon pour gérer le gazon d'une façon qui requiert un minimum de pesticides et d'engrais.

Les pratiques les moins toxiques

La clé de l'entretien minimal du gazon est la réduction du stress de la plante. Le stress est réduit par les pratiques culturales appropriées qui créent un gazon en santé et résistant aux contraintes des maladies et des insectes.

- ► Avant d'entreprendre le virage à l'entretien moins toxique, le gérant du terrain doit réaliser que :
    - 1- le sol doit être en santé pour que le gazon soit en santé ;
    - 2- les sols en santé sont équilibrés ;
    - 3- les sols qui ont été traités extensivement et intensivement avec des pesticides sont débalancés ;
- ► La microbiologie des sols est le point le plus important à considérer lorsque l'on évalue la santé du sol et la façon de le traiter pour produire du gazon en santé ;
- ► Il y a plusieurs facteurs qui affectent les micro-organismes du sol du gazon : pH, humidité, température, structure du sol, hauteur de coupe, fertilisation et variété de gazon. Tous les sols contiennent de nombreux micro-organismes dont la majorité sont utiles et qui doivent subsister pour que le sol soit équilibré. La rhizosphère consiste en l'espace du sol autour des racines des plantes et dans les micro-organismes qui interagissent avec les deux. Le gérant du terrain a besoin de considérer la rhizosphère en faisant les changements d'entretien du gazon.

PROGRAMME DE FERTILISATION ÉCOLOGIQUE DES GOLFS

La culture écologique se pratique de plus en plus sur les gazons privés et les succès sont impressionnants. Maintenant, pourquoi pas des terrains de golf écologiques ? Quelles sont les pratiques d'entretien écologiques des terrains de golf qui donnent de bons résultats ?

---

[11]GREER, L, *Sustainable Turf Care*, ATTRA, University of Arkansas, July 1999

« Le défi du gérant du terrain est de devenir un expert non seulement dans la gestion de ce que nous pouvons tous voir sur le sol, mais dans la gestion des micro-organismes utiles pour maximiser la santé du gazon » dit le Dr. Éric Nelson, un spécialiste du gazon de l'Université Cornell. (...) Les stratégies suivantes sont particulièrement utiles :

1- utilisez des amendements organiques composés de carbone disponibles rapidement. (...) compost de fumier d'animaux,(...) ;

2- maintenez un pH équilibré et une fertilité constante ;

3- maintenez une bonne porosité du sol ;

4- toute pratique qui améliore le volume des racines du gazon
- par exemple augmentez la hauteur de coupe ;
- va augmenter l'activité microbienne de la rhizosphère ;

5- limiter l'usage des pesticides et des régulateurs de croissance.

Fertilisation

(...) Comme les produits organiques sont habituellement lents à libérer leur engrais, leur usage peut aider à réduire la contamination de l'eau.

Compost

Le gazon peut être fertilisé à chaque année, avec du compost au taux de $\frac{1}{3}$ de mètre cube ($\frac{1}{3}$ de verge cube) par 100 m (1000 pi) carrés de gazon. En plus d'apporter des éléments nutritifs, les applications de compost éliminent des pathogènes.

Des études ont démontré que des applications mensuelles de terreau composé d'aussi peu que 20 % de compost par volume appliqué au taux de 9 kg (20 lbs) de compost/100 m² (1000 pi²) éliminent efficacement les maladies comme la tache du dollard, la tache brune, le pythium, l'oïdium, le mildiou, le filament rouge, la brûlure rhizoctone,(...) ;

(...) les composts de fumier de poulet éliminent plusieurs maladies.(...).

Une simple recherche sur Internet vous donnera la réponse.

La reconversion écologique est dans les mains des propriétaires et du surintendant de chaque terrain. La pression des golfeurs sera déterminante.

L'auteur a mis au point, il y a quelques années, un programme de fertilisation écologique pour des golfs. (Voir : Annexe V).

2 LE POTAGER

S i tu veux être heureux toute ta vie fais-toi jardinier, dit le proverbe chinois. Quand je touche la terre cela m'oriente : l'énergie circule dans le bon sens. Quand je sème, je participe au réveil de la nature. Quand je récolte, c'est la récompense... Les laitues, épinards, pois, tomates, concombres, poivrons, zucchinis, fèves, betteraves, maïs, choux, carottes, oignons, céleris, courges... c'est la manne.

<<< Si tu veux être heureux...
fais-toi jardinier...

L'ENTRETIEN ÉCOLOGIQUE DU POTAGER EN BREF

Chaque année, fertiliser la terre du jardin de deux façons :
1- Épandre $^1\!/_2$ cm ($^1\!/_4$ po) d'épaisseur de compost sur le jardin.

2- Appliquer 1 à 2 kg d'engrais organique et naturel par 10 m^2 (100 pi^2), en bande sur le sillon. Les engrais complets (N-P-K) du commerce donnent un rendement élevé de légumes.

ÉTABLISSEMENT D'UN POTAGER ÉCOLOGIQUE

L'emplacement du potager
Quand je crée mon potager, la croissance et le bien-être des plantes sont ma première préoccupation. Trouver le meilleur emplacement dans l'ensemble du jardin demande de l'intuition, de l'orientation et une bonne connaissance de la terre.

Où situer son potager ?
1- au sud, avec au moins 6 heures d'ensoleillement. Une légère pente vers le sud serait bénéfique ;

2- à l'abri des vents dominants (froids et asséchants). Créez l'effet de serre en plantant des haies ou des clôtures brise-vent ; (Voir : chapitre 4).

3- où le sol est riche et fertile. Cherchez le site de l'ancien potager, la végétation y est plus grande et plus verte, la terre est plus friable et foncée. Sur un nouveau site, trouvez le type de sol par la méthode des petits boudins. Amendez-le tel que décrit plus loin ;

4- où le sol est bien drainé. Les racines de la majorité des légumes aiment descendre 60 cm (2 pi) dans la terre ;

5- dans un endroit naturellement en harmonie avec le reste du jardin.

Courges... ⟫
c'est la manne.

COMMENT CONNAÎTRE LE SOL DE SON JARDIN ET L'AMÉLIORER

La levée de la première pelletée de terre nous amène à la découverte du sol : un monde vivant sous nos pieds, la biosphère. Il y a toujours 3 à 4 vers de terre chaque fois que je fouille la terre de mon jardin, ils sont souvent très gros. C'est un signe de fertilité, un indice visuel d'un écosystème en santé. Chacun de nous peut améliorer la texture de son sol pour jardiner facilement et nourrir les milliards d'êtres vivants qui s'y trouvent pour retrouver la fertilité du sol. (comme celle des forêts luxuriantes qui recouvraient jadis notre pays.)

Le sol est fertile quand l'eau, l'air et les êtres vivants y circulent librement : les particules solides du sol occupent 50 % du volume de la terre cultivée et les interstices contiennent de l'eau (25 %) et de l'air (25 %) en parties égales.

La terre est fertile quand la partie solide, la roche-mère est dégradée dans les bonnes proportions de sable, limon et argile et qu'elle contient au moins 5 à 12 % de matière organique. La matière organique donne des pores et colore en noir la terre minérale ; elle crée un milieu propice à la vie du sol. Sans elle, les argiles minérales sont compactes et impénétrables par les racines, l'air et l'eau. Les sables sans humus «matière organique décomposée» sont secs, sans vie et désertiques.

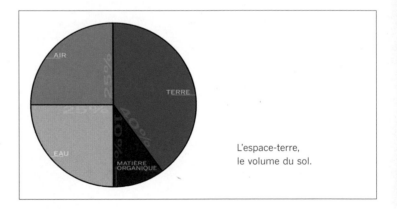

L'espace-terre,
le volume du sol.

LA MÉTHODE DES « PETITS BOUDINS » POUR TROUVER SON TYPE DE SOL !

Est-il nécessaire d'apporter un échantillon de sol au laboratoire afin d'obtenir les proportions exactes et la classe de sol de votre jardin ?

Selon moi, la méthode des «petits boudins» donne des informations suffisantes pour un jardinier. Prenez une poignée de terre humide et essayez de rouler un petit boudin dans votre main.

▶ Si le boudin se brise, ne tient pas, c'est que votre terre est sableuse : les grains de sable vous roulent entre les doigts.

▶ Si le petit boudin garde sa forme, se plie légèrement sans se casser, c'est que vous avez de *la terre franche ou un loam* : vous sentez les grains de sable fin entre vos doigts.

▶ Si le petit boudin se plie complètement forme un anneau sans se briser, votre terre est argileuse : vous ne sentez pas le sol entre vos doigts, c'est glissant, savonneux.

QUELLES SONT LES BONNES PROPORTIONS DE SABLE, LIMON ET ARGILE ?

▶ **La bonne terre à jardin** ou terre à patates (loam sableux) est une terre minérale qui se travaille bien en tout temps ; elle retient bien l'eau et les engrais. Elle est composée de 60 % de sable, 20 % de limon, 20 % d'argile et de matière organique. On y apporte à chaque année du compost et des engrais organiques.

▶ **La terre franche** ou bonne terre agricole (loam et loam argileux) est généralement la meilleure terre pour l'agriculture ; elle donne les meilleurs rendements pour la majorité des cultures car l'eau, les engrais et la matière organique y sont bien retenus. Ce sol se forme en granules, sortes de briques d'argile et d'humus. Ce sont des complexes argilo-humiques. L'eau, l'air et les racines y circulent librement. Le loam contient 40 % de sable, 40 % de limon et 20 % d'argile. On l'appelle loam argileux s'il est composé en parties égales (33 %) de sable, de limon et d'argile. On y fait des apports annuels de compost et d'engrais organiques pour maintenir la fertilité.

▶ **Les terres sableuses** composées d'environ 80 % de sable sont plutôt légères, faciles à cultiver et faciles à s'y enraciner pour un légume. Elles ne retiennent pas l'eau, ni les engrais et ont tendance à s'acidifier. Avant d'y faire son jardin, on l'amende avec du compost, de la mousse de tourbe, de la chaux et diverses poudres de roche afin de rendre cette terre fertile. Ce sont des terres pauvres, il faut y apporter régulièrement de la chaux ainsi que des poudres de roche et un peu plus de compost et d'engrais organiques à chaque année.

▶ **Les terres argileuses** sont lourdes et contiennent plus de 50 % d'argile. L'argile est la particule de sol la plus fine, imperceptible au toucher, comme savonneuse ou glissante lorsqu'elle est mouillée. Elle colle aux pieds et aux outils. Le sol argileux se fendille et forme des mottes lorsqu'il est sec. Les argiles sont fertiles quand elles contiennent plus de 12% de matière organique car l'activité microbienne y est intense. En-dessous de 12% la vie microbienne chute rapidement. Pour rendre ces terres fertiles et vivantes, on les amende abondamment avec de la matière organique : mousse de tourbe et compost. Des apports de sable peuvent les alléger. On y fait des apports annuels de compost et d'engrais organiques.

▷ **Les terres humifères** ou terres noires sont formées dans d'anciens marécages. Elles sont composées de 25% et plus de matières organiques. Elles sont légères, faciles à travailler, riches en azote et avec une bonne rétention d'eau. Elles sont naturellement très pauvres en minéraux et très acides à moins d'avoir reçu de grandes quantités de chaux, d'engrais et de poudre de roche. On peut aussi les amender avec de la bonne terre à jardin, de la terre franche ou de l'argile. On y ajoute souvent de la chaux et de la poudre de roche et à chaque printemps du compost et des engrais organiques.

POURQUOI LA TERRE EST-ELLE FERTILE AVEC 5 À 12 % DE MATIÈRE ORGANIQUE ?

▷ Elle sert de nourriture et d'habitat à beaucoup d'organismes vivant dans le sol ;

▷ elle libère des engrais lors de sa décomposition ;

▷ elle retient les engrais et prévient les pertes dans le sous sol ;

▷ elle forme des granules de sol et des complexes argilo-humiques en contact avec l'argile ;

▷ les terres lourdes, argileuses se travaillent mieux, sont drainées, aérées, vivantes ;

▷ les sols légers, sableux retiennent plus d'eau et d'engrais.

©Photo : Caroline Bureau

‹‹‹ La terre franche se forme en granules. La terre vivante compte entre 80 et 300 vers de terre au m².

LA MATIÈRE ORGANIQUE SE COMPOSE DE...

▷ <10 % de matière organique fraîche : résidus de plantes, racines, feuilles,... non décomposés ;

▷ 33 % à 50 % d'humus actif ou en décomposition, des matières organiques transformées en engrais par les micro-organismes ;

▷ 33 % à 50 % d'humus stable ou de la fraction permanente de l'humus, soit celle qui donne la couleur noire au sol ;

▷ <5 % de la biosphère ou de toutes les sortes d'êtres vivants du sol : ceux que l'on voit quand on fouille la terre : les vers de terre (100 individus au m²), les arthropodes (jusqu'à 1 000 au m²) et aussi les micro-organismes qu'on ne voit pas : on en compte plus de 100 millions par gramme de terre : protozoaires, nématodes, rotifères, algues, champignons, actinomycètes, bactéries.

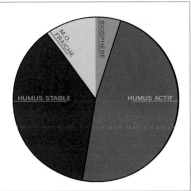

L'humus fractionné (tiré de Soil and Water Conservation Society (SWCS). 2000. *Soil Biology Primer.* Rev. ed. Ankeny, Iowa : Soil and Water Conservation Society)

COMMENT AUGMENTER LE TAUX DE MATIÈRE ORGANIQUE POUR LA FÉCONDITÉ DU JARDIN ?

On peut obtenir de très bons rendements de légumes dès la première année en faisant des apports importants de compost et de mousse de tourbe afin de corriger un niveau de matière organique trop bas. Les engrais verts cultivés pendant une ou deux saisons sont un autre excellent moyen d'apporter beaucoup de matière organique. Un taux de matière organique trop bas est critique pour la fécondité des sables et des argiles. Par la suite, on ajoute du compost à chaque année pour maintenir l'humus, gage de la fertilité.

Rendez votre nouveau jardin rapidement fertile avec 2,5 cm (1 po) de bon compost à la grandeur du jardin. Pour un jardin de 100 m^2 (1000 pi^2), épandez 3 m^3 (3 verges^3) de compost, ou épandez 1,2 cm ($\frac{1}{2}$ po) de compost et 1,2 cm de mousse de tourbe (avec de la pierre à chaux dolomitique pour éponger l'acidité de la tourbe à raison de 1 sac (18 kg) de chaux agricole par 4 dm^3 (10 pi^3) de mousse de tourbe).

TABLEAU I

APPORTS IMPORTANTS DE MATIÈRE ORGANIQUE/ CORRECTION DU TAUX D'HUMUS DU SOL

ÉPAISSEUR DE COMPOST	SUPERFICIE DU JARDIN	VOLUME DU COMPOST APPORTÉ	POIDS DU COMPOST
5 cm (2 po)	30 m^2 (300 pi^2)	1,6 m^3 (2 verges^3)	900 kg (1 tonne)
2,5 cm (1 po)	100 m^2 (1000 pi^2)	2,4 m^3 (3 verges^3)	1360 kg (1,5 tonne)
2,5 cm (1 po)	30 m^2 (300 pi^2)	0,8 m^3 (1 verge^3)	450 kg ($\frac{1}{2}$ tonne)
1,2 cm ($\frac{1}{2}$ po)	100 m^2 (1000 pi^2)	1,2 m^3 (1,5 verge^3)	700 kg ($\frac{3}{4}$ tonne)
1,2 cm ($\frac{1}{2}$ po)	30 m^2 (300 pi^2)	0,4 m^3 ($\frac{1}{2}$ verge^3)	225 kg ($\frac{1}{4}$ tonne)

ÉPAISSEUR DE MOUSSE DE TOURBE*	SUPERFICIE DU JARDIN	VOLUME DE LA MOUSSE DE TOURBE*	NB. DE DM^3 TOURBE COMPRIMÉE*
1,2 cm ($\frac{1}{2}$ po)	100 m^2 (1000 pi^2)	1,2 m^3 (1,5 verge^3)	12 dm^3 (30 pi^3)
1,2 cm ($\frac{1}{2}$ po)	30 m^2 (300 pi^2)	0,4 m^3 ($\frac{1}{2}$ verge^3)	4 dm^3 (10 pi^3)

* Ajoutez un sac de chaux dolomitique de 18 à 20 kg à chaque 4 dm^3 (10 pi^3) de mousse de tourbe.

FEUILLES AU VENT

FEUILLES AU VENT

Extrait du poème
de Nicole Fournier, Boucherville

(...)
Gisent épuisées
Au fond d'un jardin
Tapissent le sol
Épousent la terre
Pénètrent leur coeur
Deviennent humus
(...)

POURQUOI PRÉFÉRER LA MOUSSE DE SPHAIGNE (DE TOURBE) À LA TERRE NOIRE?

TERRE NOIRE	MOUSSE DE TOURBE (DE SPHAIGNE)
Bonne rétention d'eau	Excellente rétention d'eau (10 X) et des engrais
Durée: 2 à 3 ans	Durée: 5 ans
Apporte peu d'espace d'air au sol	Donne beaucoup d'espace d'air = activité microbienne
Pauvre en engrais	Pauvre en engrais
Besoin de chaux	Besoin de chaux
Prix: 25 l = 1.00 $	Prix: 25 l = 0.63 $ Prix: 4 pi^3 (comprimé) = 200 l = 5.00 $

LA PRÉPARATION DU POTAGER SELON SA SUPERFICIE

Je choisis la plus petite superficie possible, la plus fertile et autant que possible exempte de mauvaises herbes. J'y cultive un maximum de légumes. Le reste de l'espace disponible est cultivé en jachère et en engrais vert (Voir ci-après). Avec l'expérience, je fais un plus grand jardin selon mon plaisir et l'espace disponible:

> 500 m^2 (5000 pi^2) peut nourrir une famille de 4 personnes;

> 300 m^2 (3000 pi^2) est une dimension fréquente à la campagne;

> 100 m^2 (1000 pi^2) fournit 4 personnes en légumes frais;

> 30 m^2 (300 pi^2) grandeur d'une parcelle de jardin communautaire;

> 10 m^2 (100 pi^2) c'est mon petit jardin en ville.

LA PRÉPARATION DES GRANDS JARDINS (300 M^2 OU 3000 PI^2 ET PLUS)

L'expérience m'a démontrée que le temps et les saisons données à la préparation du potager sont récupérées par la suite grâce à un bon contrôle des mauvaises herbes et à un apport supérieur en matière organique. Je fais un petit jardin et je prépare le reste du terrain.

Préparation en 1 an:

> faites 3 passes de bêcheuse rotative (ou labourez) et épandez du fumier;

- faites une jachère d'été (sarclez chaque fois que ça reverdit de mauvaises herbes) ;
- semez de l'engrais vert le 1er août (sarrasin, colza, avoine-pois,…) ;
- enfouissez à la bêcheuse rotative (ou à la charrue) en automne.

Seigle d'automne, l'engrais vert le plus efficace.

Préparation en 2 ans :

An 1 : faites comme la préparation en 1 an (ci haut), excepté, semez du seigle en engrais vert, le 15 août. Laissez-le pousser tout l'hiver.

An 2 : en juillet, incorporez (à la herse à disques) la récolte de seigle mûr et laissez le seigle repousser.

En automne, enfouissez-le à la bêcheuse rotative (ou à la charrue).

QU'EST CE QU'UN ENGRAIS VERT ?

Ce sont des plantes jeunes et vertes que nous coupons ou enfouissons pour fertiliser le sol. Il y a trois façons de procéder :

- **en culture associée ou mixte :** semez des épinards, de la moutarde ou du trèfle sur la planche, entre les rangs de légumes. Coupez très court et laissez sur le sol ;

- **à la dérobée :** après la jachère ou après la culture principale, semez des plantes à pousse rapide comme le sarrasin, le canola ou le mélange avoine-pois-vesce que vous enfouirez après 2 mois ;

- **en culture principale :** pendant une saison complète, semez de l'avoine ou le mélange avoine, pois et vesce.

Si vous prenez une saison et demie (culture dérobée + 1 an), semez du seigle d'automne ou du seigle d'automne et de la vesce velue, c'est l'engrais vert le plus efficace. L'été suivant, incorporez au sol la paille et les grains mûrs à la herse à disques ; laissez-les pousser une deuxième fois.

Enfouissez-les en vert à l'automne.

PRÉPARATION DES PETITS JARDINS (100 M² OU 1000 PI² ET MOINS)
Pour un nouveau jardin, enlevez la végétation à la pelle ou à la déplaqueuse de gazon (machine à récolter ou découper le gazon en
plaques) ou

- incorporez la végétation avec un motoculteur ou une bêcheuse rotative (3 passages) et extirpez les racines des mauvaises herbes à la fourche ;
- bêchez tout le jardin de la profondeur de la pioche ;
- divisez le jardin en buttes ou en planches de 1,2 m (4 pi) de
  largeur.

La planche de 1,2 m (4 pi)

Je trouve très pratique de diviser le jardin en planches de 1,2 m (4 pi)
de large séparées par des allées de 30 cm (1 pi). Elles peuvent mesurer
la longueur du jardin. La largeur de 1,2 m (4 pi) est idéale, elle permet
de travailler sur la planche facilement des 2 cotés jusqu'au milieu sans
y marcher et de planter plusieurs rangs de légumes en compagnonnage.

Les allées de 30 cm (1 pi) de large entre les planches sont creusées de
la profondeur de la pioche, la terre arable est déposée sur la planche.

Les planches sont orientées dans le sens nord-sud pour un ensoleillement optimal et pour le réchauffement rapide du sol. Cette
orientation est meilleure pour les terres argileuses et franches, elles
ont tendance à rester froides. La direction est-ouest est préférable
pour les terres sableuses qui sèchent rapidement, les rangées de
légumes font ombre à la terre. Les grands légumes sont au nord et
les petits au sud.

Dans les jardins chinois, les allées sont courbes ou sinueuses et en
direction est-ouest, l'énergie vitale ou le C'hi y circule librement.

La butte permanente

Si votre terre est trop mince, trop pauvre, trop dure, ou trop
humide, ou si vous voulez avoir un sol plus profond, situez vous au
bon endroit et faites votre jardin de buttes permanentes.

Chaque butte est une planche ronde de 1,20 m (4 pi) de largeur, surélevée par l'empilement de

▻ 30 cm (1 pi) de résidus de coupe de bois ou de rameaux broyés et de

▻ 30 cm (1 pi) de résidus de jardin.

©Illustration : Véronique Ratio

La butte permanente.

CONSTRUCTION

▻ Creusez une tranchée de 25 cm (10 po) de profond, de 1,2 m (4 pi) de largeur par la longueur voulue ;

▻ mettez la bonne terre de coté (répandez l'autre terre) ;

▻ déposez un premier rang de 30 cm (1 pi) de résidus de rameaux de bois dans la tranchée ;

▻ mettez par-dessus un autre 30 cm (1 pi) de résidus de jardin, feuilles, etc. ;

▻ recouvrez le tout avec de la bonne terre excavée, amendée avec du compost, de la mousse de tourbe, de la chaux, de la poudre d'os, de la poudre de roche et de l'engrais organique.

La caisse permanente ou levée de terre

La butte permanente, décrite précédemment, peut être enserrée dans une boite de 60 cm (2 pi) de hauteur par 1,2 m (4 pi) de largeur par la longueur désirée. Vous pouvez ainsi créer un jardin permanent et fertile. Ces caisses permanentes sont idéales dans la serre, le sol fertile et chaud permet de planter en rangs serrés.

CONSTRUCTION

▷ Creusez une tranchée de 15 cm (6 po) de profondeur, de 1,3 m (4 pi 4 po) de largeur et de la longueur voulue. Déposez la terre de surface sur les cotés ;

▷ massez les pieux en bordure de la tranchée, attachez y des planches de bois peintes à l'huile de lin et/ou des tôles ;

▷ déposez au fond des branches coupées fines ou des tiges ou du bois raméal sur une épaisseur de 30 cm (1 pi) ;

▷ mettez par-dessus 30 cm (1 pi) de résidus de jardin, de gazon, de feuilles d'automne ;

▷ ajoutez 15 cm (6 po) de compost et complétez avec de la bonne terre de surface, mêlée à de la mousse de tourbe ;

▷ amendez avec de la chaux, de la poudre d'os, de la poudre de roche et de l'engrais organique ;

▷ arrosez bien la première année car la décomposition des matières organiques chauffe le sol ;

▷ ajoutez du compost pour remplacer le terreau décomposé.

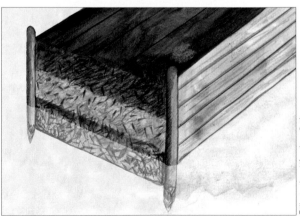

La caisse ▷▷▷ permanente.

©Illustration : Véronique Ratio

LE COMPOST

D'après le Larousse, le compost c'est: «mélange fermenté de résidus organiques et minéraux, utilisé pour l'amendement des terres agricoles». La matière organique est fermentée en présence d'air. Le compost contient de l'humus vivant et il sert d'inoculant microbien pour le sol.

La majorité du compost en sacs que l'on trouve actuellement sur le marché dans la région de Montréal est composée en plus grande partie de terre noire mélangée à du compost; **parfois il y a moins de 1% de véritable compost**.

Les normes gouvernementales existent et doivent s'appliquer. Donc pour s'appeler compost, un produit doit avoir chauffé à 55°C et fermenté en entier pendant une certaine période, contenir de l'humus et avoir une vie microbienne intense.

Il faut exiger des marchands la liste des ingrédients de leurs composts ou «terreaux avec compost», ou trouver soi-même des producteurs commerciaux de compost (par ex: champignonnières, producteurs agricoles,...) ou faire soi-même du compost avec les résidus de son jardin.

Définition du terme **compost** par les Normes biologiques de référence du Québec:
«produit stabilisé à décomposition contrôlée formé d'un mélange approprié de matières azotées et carbonées qui ont été empilées, retournées périodiquement et soumises à un échauffement à des températures dépassant 55°C puis laissées sur place pendant une longue période (sans nuire à l'environnement) de façon à produire de l'humus, utilisé comme amendement ou fertilisant du sol.»

©Photo: Caroline Bureau

‹‹‹ Deux autres types de boites à compost.

LE COMPOST CHEZ SOI - 1 MÈTRE CUBE

J'apporte 3 palettes de livraison de chez un marchand. Je choisit un espace de 1 mètre par 1 mètre dans un coin du jardin.

Je monte les 3 palettes de livraison debout sur le sol, je les attache pour qu'elles forment les 3 cotés de la boite de compostage, le devant restant ouvert. Les palettes de livraison mesurent souvent 1 m x 1 m (environ 3,5 X 3,5 pi), elles formeront un cube de 1 mètre de coté.

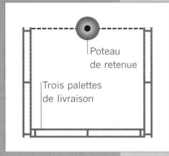

Poteau de retenue

Trois palettes de livraison

⌃ Vue de dessus.

Ce volume de 1 mètre cube est idéal :
▷ c'est à peu près le volume des résidus produits par un jardin et un potager en 1 an ;
▷ c'est le volume minimal qui va créer assez de chaleur pour maintenir une fermentation chaude de 55 °C au centre du tas.
▷ Après 1 an de fermentation, on obtient 0,5 m^3 de compost prêt à être utilisé.

J'y accumule, pendant tout un été ou pendant un an,

⌃ Vue en coupe.

©Illustration : Véronique Ratio

A) **les matières vertes, azotées :** résidus du jardin, des mauvaises herbes, des restes de table (excepté la viande) ou du fumier et j'alterne avec
B) **les matières brunes, carbonées :** feuilles mortes ou mousse de tourbe auxquelles j'ajoute 3 à 4 poignées de chaux dolomitique ou de cendre de bois de temps à autre.

La terre qui colle aux racines des mauvaises herbes suffit comme apport de terre, pas plus.

Je maintiens le tas humide en arrosant quand le temps est sec et la pluie fait le reste.

En hiver je continue, s'il y a lieu, d'y accumuler les restes de table et je les recouvre de feuilles mortes ou de mousse de tourbe.

Une couche de mousse de tourbe est un excellent absorbant pour toutes sortes d'odeurs.

Au printemps quand le tas est dégelé, j'enlève le dessus non composté jusqu'à ce que je rejoigne le compost noir (je ne reconnais plus les matériaux et ça sent la terre); il est prêt à être utilisé.

Je tamise le compost pour des usages plus raffinés en le passant à travers un grillage avec des mailles de 1 cm (½ po).

Je reprends les résidus non compostés et je monte un nouveau tas dans la boîte.

J'arrose avec le boyau pendant toute la préparation car les matières à composter doivent être bien imbibées d'eau afin que la fermentation chaude (55 °C) débute.

Si le tas ne chauffe pas, j'arrose avec de l'eau tiède mélangée au purin de valériane ou au purin d'orties… (Voir : Les purins végétaux, Annexe IV).

Après la fermentation chaude, les micro-organismes constructeurs et les vers de terre migrent dans le tas; le mélange s'effectue. On n'a pas besoin de retourner le tas, si le processus de compostage dure 1 an, les êtres vivants s'en occupent.

Compost ≫
tamisé à
travers un
grillage.

La fertilisation du potager

De toutes les bonnes pratiques culturales : rotations, engrais verts, compagnonnage, l'expérience démontre que la fertilisation naturelle est celle qui a le plus d'effet sur la quantité et la qualité des légumes du potager.

En appliquant le compost, les engrais organiques et les minéraux naturels, on active la vie du sol et on améliore l'équilibre minéral du potager. De plus, on obtient des légumes de **meilleure qualité nutritive et gustative,** garantie d'une meilleure santé.

Quand je goûte des fraises, des carottes ou des tomates biologiques mes papilles gustatives font la différence.

Ces engrais naturels apportés sous de multiples formes sont prédigérés par la vie du sol en des composés assimilables par les racines des plantes. La symbiose de la vie du sol avec les racines maintient la fertilité et la santé des plantes.

À chaque printemps j'apporte du vrai compost et de vrais engrais organiques et naturels. Recherchez la liste des ingrédients sur le sac d'engrais. Les bons manufacturiers n'ont rien à cacher.

Les engrais organiques suivants se trouvent sur le marché : farines de plumes, de sang, de poisson,… Ils libèrent leur engrais pendant plusieurs mois et sont très efficaces.

Attention à ne pas mettre de boues d'égout traitées dans votre jardin ; cachées sous le terme bio-solides on ne mange pas la merde de son voisin,…pour des raisons évidentes…

*Je n'apporte **jamais de fumier frais** dans les jardins, que du fumier composté. La décomposition du fumier est toxique pour les semis, retarde la croissance des légumes, apporte des semences de mauvaises herbes, sans parler des odeurs…*

2 VISIONS - 2 CATÉGORIES D'ENGRAIS

1- Le rendement et la vie ce sont les engrais naturels, ou écologiques, ou biologiques, ou « organiques ». Ils furent choisis pour leur aptitude à activer la vie du sol et le rendement des plantes. Les êtres vivants du sol sont mis à contribution afin de transformer les engrais en éléments assimilables ; ils servent donc d'intermédiaires entre l'engrais et la plante. La plante assimile des composés naturels digérés par la terre. Ce processus augmente sa vitalité et sa santé.

2- Le rendement à l'instant ce sont les **engrais chimiques** ou minéraux. Ils sont solubles et assimilables directement par les plantes, sans intervention de la vie du sol. Le premier critère du choix de ces engrais est l'augmentation du rendement des plantes. La qualité, la santé et la résistance des plantes aux envahisseurs sont escamotées.

Des plantes luxuriantes, affaiblies par ces engrais sont la proie d'ennemis de plus en plus nombreux. La quantité et la diversité des pesticides modernes découle du besoin de contrôler ces envahisseurs.

Chaque année, fertiliser la terre du jardin de deux façons :
1- Épandre ½ cm (¼ po) d'épaisseur de compost sur le jardin.

TABLEAU II

QUANTITÉS À APPORTER POUR ½ CM (¼ PO) DE COMPOST

ÉPAISSEUR DE COMPOST	SUPERFICIE DU JARDIN	VOLUME DU COMPOST APPORTÉ	POIDS DU COMPOST
0,6 cm (¼ po)	100 m² (1000 pi²)	0,6 m³ (³/₄ verge³)	340 kg (750 lb)
0,6 cm (¼ po)	30 m² (300 pi²)	180 dm³ (6 pi³)	100 kg (220 lb)

2– Appliquer 1 à 2 kg d'engrais organique et naturel par 10 m^2 (100 pi^2), en bande sur le sillon. Les engrais complets (N–P–K) du commerce donnent un rendement élevé de légumes.

EXEMPLES D'ENGRAIS COMPLETS DU COMMERCE À BASE DE FARINE DE PLUMES :

-Engrais BIO-JARDIN (4-4-7) ou (4-3-6) = 1 kg/10 m^2 printemps et 1 kg en été
-Engrais BIO-GAZON (8-3-3)　　　　　 = 1 kg/10 m^2 printemps et 1 kg en été

VOUS POUVEZ AUSSI FAIRE VOTRE RECETTE VOUS–MÊME (N–P–K) :

(N) Sources d'azote :

▸ farine de plumes, farine　　　 = 0,5 kg/10 m^2 au printemps
　 de sang, farine de poisson　 et 0,5 kg/10 m^2 en été

(P$_2$O$_5$) Sources de phosphate :

▸ Os Fossile (phosphate naturel)　 = 1 kg/10 m^2 ou
▸ poudre d'os　　　　　　　　　 = 1 kg/10 m^2

(K$_2$O) Sources de potasse :

▸ sulfate de potassium (0-0-50)　 = 200g/10 m^2
▸ cendres de bois　　　　　　　 = 1 kg/10 m^2

SI ON VEUT UN POTAGER LUXURIANT ET UN EXCELLENT RENDEMENT ON APPLIQUE AUSSI À CHAQUE PRINTEMPS :

▸ algues séchées :　　　 1 kg/10 m^2
▸ basalte :　　　　　　 2 kg/10 m^2
▸ cendres de bois :　　 1 kg/10 m^2

SI LA TERRE EST LÉGÈRE, SABLEUSE OU HUMIFÈRE (TERRE NOIRE) ON ÉPAND AUSSI DE LA :

▸ poudre d'os ou Os Fossile　 1 kg/10 m^2
▸ chaux dolomitique　　　　 1 kg/10 m^2
▸ argile, kaolin　　　　　　 3 kg/10 m^2

N.B. : 10 m^2 = 100 pi^2

LES POUDRES DE ROCHE

Les poudres de roche épandues sur la terre sont, après le fumier, la plus ancienne façon de fertiliser les cultures. Les archéologues européens ont trouvé des preuves il y a plus de 5000 ans, que des hommes broyaient les roches de basalte pour fertiliser leurs cultures.

De nos jours, deux roches broyées sont utilisées à grande échelle : la pierre à chaux agricole ou chaux dolomitique et le phosphate (minéral naturel) de roche « Os Fossile ». Cependant, d'autres moins connues auraient avantage à être utilisées : le basalte, le mica, le granite, le feldspath.

Ces roches et minéraux riches en éléments fertilisants sont utilisés depuis longtemps dans certaines régions d'Europe et des Etats-Unis. Les limons du Nil, qui jadis fertilisaient l'Égypte, ont une composition chimique semblable au basalte. En fine poussière, ces roches et minéraux riches en éléments fertilisants sont rapidement colonisés par les micro-organismes du sol et transformés en engrais pour les plantes. (Voir : Annexe II).

Les utilisateurs recherchent de la poussière de casse-pierre de ces minerais, car elle possède souvent la bonne granulométrie de 80 % passant le tamis 75 microns (tamis 200) : c'est la finesse recommandée pour une réaction rapide au sol.

Au jardin, on épand les poudres ou les granulés en quantités de 1 à 2 kg par 10 m^2 (100 pi^2) pour chaque type de roche.

Selon le besoin du sol, nous apportons du/de la :

▷ **Phosphate minéral naturel** (phosphate de roche) **« Os Fossile »** : minerai de phosphate de calcium, finement moulu (80 % passant le tamis 150 microns (100 mailles), contenant au moins 25 % de phosphate (P$_2$O$_5$ total) et de 45 %-50 % de calcium (CaO). Les phosphates tendres de Tunisie et le TexasGulf de North Carolina sont les plus assimilables.

▷ **Poudre de basalte :** l'amendement naturel tout-usage, la plus efficace des poudres de roche, commercialisée sous le nom de

Bio-Roche. C'est une roche ignée, noire, basique, siliceuse, de la siénite ayant une teneur de 3,5 % de K_2O, 3 % de Ca, 3 % de Mg et 5 % de Fe, des oligo-éléments : Cu, Zn, Mn. Elle est finement moulue (80 % passant le tamis 75 microns (200 mailles). Nous pouvons utiliser les poussières (tamis 75 microns) des carrières des collines montérégiennes (St-Bruno, St-Hilaire ou Bromont). Celles-ci possèdent toutes les bonnes caractéristiques du basalte.

▷ **Poudre de mica :** riche en potasse. Les meilleurs micas sont la phlogopithe 10 % K_2O et 12 % Mg, la biotite et la muscovite à 5 % K_2O, finement broyés (80 % passant le tamis 75 microns). La phlogopithe provient de Parent en Abitibi et est commercialisée par Les Engrais Naturels McInnes Inc.

▷ **Poudre de granite :** un amendement potassique naturel, une roche de granite finement moulue (80 % passant le tamis 75 microns) contenant 5 % de potasse (K_2O) totale. Il faut voir la composition chimique des poussières des carrières de cette roche.

▷ **Poudre de feldspath :** minerai naturel d'orthoclase ou de microcline, finement broyés (80 % passant le tamis 75 microns) contenant plus de 5 % de potasse (K_2O) totale.

La potasse des poudres de roche se libère sans augmenter la salinité du sol.

Le granite et le feldspath sont seulement disponibles dans les carrières de ces minerais.

Choux rouges.

LA PLANIFICATION DU JARDIN

LA ROTATION DES LÉGUMES

1) feuilles 2) racines 3) fruits 4) grains

La rotation des légumes est la meilleure façon de maintenir la fertilité du jardin et un bon rendement en légumes, tout en ayant un bon contrôle des insectes et des maladies.

Les jardiniers essaient de cultiver, en première année sur une parcelle, les légumes les plus exigeants pour la terre et les autres années, ils sèment des légumes de moins en moins gourmands. Ce n'est cependant pas une mince tâche à déterminer.

Maria Thun et les jardiniers biodynamiques ont trouvé la formule : planifier selon l'un des 4 organes du légume :

▸ **les feuilles** de laitue, d'épinard, de chou,

▸ **la racine** des carottes, des oignons, des radis, des pommes de terre,

▸ **les fruits** des tomates, des concombres et des piments ou

▸ **les grains** de maïs, de légumineuses, de pois et de fèves.

Nous divisons le jardin en quatre planches et on change de légumes à chaque année. En première année, les plus gourmands, les légumes feuilles, en 2e année les légumes racines, en 3e, les légumes fruits et les légumes grains, et en 4e les fleurs annuelles. Si on ne trouve pas d'utilité aux fleurs on cultivera des pommes de terre.

Ainsi le sol se repose car les types de plantes aux racines différentes puisent des nutriments différents.

À chaque nouveau cycle de rotation on débute en appliquant une fumure capiteuse en 1ère année sur les légumes feuilles. (Voir : Tableau III : Rotation de 4 ans, ci-après).

CALENDRIER DE SEMENCES ET DES PLANTATIONS

L'expérience démontre que les légumes n'ont pas tous la même résistance au froid et au gel. Afin de prolonger la saison de végétation, on sème le jardin en 3 étapes selon la résistance au froid du légume : (Voir : Tableau III : Calendrier de semis hâtif).

1- **au dégel,** dès que le sol est assez sec pour être travaillé je peux semer la planche de légumes-racines au complet, les laitues dans la planche de légumes-feuilles et les pois dans la planche des légumes-grains ;

2- **10 jours avant la fin des risques de gel,** on sème les épinards, le maïs et les melons dans leur planches respectives ;

3 à la fin des risques de gel selon la région, on sème et on plante tous les autres légumes.

LE COMPAGNONNAGE

Les bons jardiniers pratiquent le **compagnonnage** ou la culture mixte, une méthode qui consiste à associer deux ou plusieurs légumes qui poussent mieux ensemble. Des **plantes compagnes** mélangent leurs parfums et leur racines ; elles se protègent mutuellement contre les envahisseurs tout en donnant un meilleur rendement.

Choux verts.

Dans le Tableau III – Compagnonnage - nous recommandons une famille de légumes par planche, alors les plantes compagnes que nous décrivons ici sont des légumes de même type, parfumés d'herbes aromatiques.

TABLEAU III

PLANIFICATION DU JARDIN

ROTATION DE 4 ANS	CALENDRIER DE SEMIS HÂTIF	COMPAGNONNAGE

--- 1ère année ---

LÉGUMES FEUILLES	DATE DE SEMIS	PLANTES COMPAGNES
• Bette à carde	Au dégel	
• Laitues	Au dégel	Choux
• Épinard	10 jours avant la fin du gel	
• Choux (famille des...)	Plant	Céleri, camomille, romarin, thym, fenouil
• Céleri	Plant	Chou, chou-fleur

--- 2e année ---

LÉGUMES RACINES	DATE DE SEMIS	PLANTES COMPAGNES
• Oignon, échalotte	Au dégel ou plant	Carotte, bette, camomille, sariette
• Poireau	Au dégel ou plant	Oignon, carotte
• Carotte	Au dégel	Oignon, radis, ciboulette
• Betterave	Au dégel	Oignon
• Radis	Au dégel	Carotte, cerfeuil
• Panais	Au dégel	
• Navets, rutabaga	Au dégel	Oignon, betterave, carotte

--- 3e année ---

LÉGUMES, FRUITS, GRAINS	DATE DE SEMIS	PLANTES COMPAGNES
• Pois	Au dégel	Courge
• Maïs	10 jours avant la fin du gel	Pois, concombre, courge, citrouille, chou gras,
• amarante		
• Melon	10 jours avant la fin du gel	
• Fèves, haricot, gourgane	Fin des risques de gel	Concombre, pétunia,
• sarriette		
• Tomates	Fin des risques de gel	Persil, ciboulette, marigold
• Poivrons	Fin des risques de gel	
• Concombre, cornichon	Fin des risques de gel	Fève, maïs, pois, tournesol
• Courge, citrouille	Fin des risques de gel	Maïs
• Aubergine	Fin des risques de gel	Fève

--- 4e année ---

	DATE DE SEMIS	PLANTES COMPAGNES
• **FLEURS ANNUELLES OU**	10 jours avant la fin du gel	Marigold, pétunia,...
• **POMMES DE TERRE**	10 jours avant la fin du gel	Marigold, raifort

〈〈〈 Compagnonnage : choux décorés et parfumés de fenouil.

CALENDRIER LUNAIRE BIODYNAMIQUE

Nos ancêtres, agriculteurs pour la plupart, savaient que le soleil et la lune avaient une influence sur les plantes et les animaux. Par exemple, la sagesse populaire dictait de semer 2 jours avant la pleine lune parce que les graines absorbent plus d'eau et germent plus vite. Ils connaissaient aussi d'autres phases comme les marées, les éclipses,... pour ne rien faire ou travailler et récolter.

Les adeptes de l'agriculture biodynamique sont allés plus loin et ont noté les influences de la lune montante et de la lune descendante. Ils ont capté que la position de la lune par rapport à la terre dans sa course autour de la galaxie influence différemment les organes de chaque légume selon qu'elle passe devant une constellation air, terre, eau ou feu.

Ils ont ainsi créé le calendrier lunaire biodynamique qui rassemble toutes ces connaissances et donne la date et l'heure idéale pour chaque intervention au jardin. Selon ce calendrier, il y a des moments précis pour semer, travailler la terre, sarcler, récolter selon qu'on cultive un légume fruit, un légume feuille ou un légume racine.

Je ressens une grande harmonie avec l'univers quand je respecte ce calendrier. Comme je me lève avec le soleil tous les matins, j'accompagne la lune dans sa course autour du zodiaque.

LA CHALEUR DU SOL

Activité biologique et chaleur du sol

Sous nos latitudes, la fraîcheur du sol est souvent le facteur limitant de la croissance des plantes et de l'activité biologique. Plusieurs jardiniers dans leur sagesse attendent la date moyenne de la dernière gelée de leur région pour faire leur jardin (vers le 15 mai, région de Montréal). À cette date, la température du sol, environ à 10 °C, permet la germination des semences et décomposition des engrais. La température du sol va monter jusqu'en juillet en même temps que l'activité microbienne, qui elle va doubler à chaque 10 °C pour atteindre son maximum en juillet, à 35 °C. (Voir le graphique pour les États-Unis, remarquez que la date de la dernière gelée est 2 mois plus tôt qu'au Québec).

Quand sont-ils actifs?

L'activité des organismes du sol est saisonnière et aussi journalière. Sous nos climats tempérés, ils sont plus actifs au début de l'été lorsque les conditions de température et d'humidité sont optimales pour la croissance. Pourtant certaines espèces sont plus actives en hiver, d'autres pendant les périodes sèches et d'autres encore, pendant les inondations.

Les organismes ne sont pas tous actifs en même temps. Même pendant les périodes d'activité intense, une fraction seulement d'entre eux mangent, respirent, et transforment activement leur environnement. Les autres sont inactifs ou en dormance.

Les différents organismes sont actifs à des moments distincts; pourtant ils interagissent ensemble, avec les plantes et avec le sol. Leurs effets combinés sont bénéfiques à plusieurs fonctions dont le recyclage des matières, la rétention de l'eau et la lutte antiparasitaire.[1]

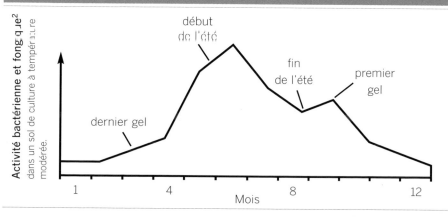

ACTIVITÉ MICROBIENNE SAISONNIÈRE

Activité bactérienne et fongique[2] dans un sol de culture à température modérée.

dernier gel · début de l'été · fin de l'été · premier gel

Mois — 1 · 4 · 8 · 12

[1, 2] Tiré de Soil and Water Conservation Society (SWCS). 2000. *Soil Biology Primer*. Rev. ed. Ankeny, Iowa: Soil and Water Conservation Society.

LE RÉCHAUFFEMENT DU SOL

Le jardinier des régions tempérées cherche à prolonger la saison de végétation en semant le plus tôt possible du dégel à la dernière gelée. Il pourra ainsi stimuler l'activité biologique du sol avec les trucs décrits ici :

COMMENT PEUT-ON ACCUMULER PLUS DE CHALEUR AU JARDIN ?

1- Donner aux rangs une **orientation nord-sud.** Lorsqu'il est au zénith, le soleil peut plomber directement sur la terre pendant la partie la plus chaude de la journée ;

2- protéger son jardin des vents dominants par des **brise-vents :** augmente le rendement du jardin de 20 % ;

3- épandre du **basalte en poudre,** à la surface du sol. Il accumule les rayons solaires grâce à sa couleur noire et sa forme cristalline ;

4- incorporer en surface de la **farine de plumes** (3 à 6 poignées par mètre carré) ;

5- arroser le sol du jardin d'un fin jet de **purin de fleurs de valériane** pour créer un manteau de chaleur. (Voir : Purins végétaux, Annexe IV).

PROTECTION CONTRE LE GEL

Le purin de fleurs de valériane (mentionné plus haut) protège les plantes sensibles contre de bonnes gelées. Arrosez d'un jet fin durant la soirée précédant le gel ; l'eau ne doit pas dégoutter du feuillage.

L'eau du robinet protège contre une faible gelée à -1 °C. Arrosez de fines gouttelettes d'eau durant la soirée avant le gel ; l'eau ne doit pas dégoutter du feuillage.

JARDINER À CONTRE SAISON, LES CULTURES ABRITÉES ET LA SERRE

Depuis de nombreuses années les jardiniers des pays nordiques ont développé toutes sortes d'astuces pour devancer la saison de végétation et créer des micro-climats :

▷ Abriter ses cultures avec ces nouveaux matériaux translucides apparus sur les marchés.

▷ Utiliser des formes d'énergie et des pratiques plus efficaces, comme chauffer le sol de la serre.

Les serriculteurs qui ont utilisé la méthode biologique et les engrais naturels dans leur sol ont augmenté la fertilité et leur rendement. Ils obtiennent les mêmes rendements que les producteurs chimiques qui sont passés à la culture hydroponique et utilisent les médiums de croissance. Ces derniers ne cultivent plus en sol, la surfertilisation et la salinité ont détruit la vie des sols de leurs serres ; ils sont vite devenus impropres à la culture. Seule la culture biologique, avec ses engrais organiques, transformés par les organismes, permet au sol de supporter l'agriculture intensive tropicale.

LE TUNNEL ET LA COUCHE CHAUDE

Le tunnel de plastique est tendu sur des piquets en arc de cercle au dessus d'un rang de légumes ou d'une planche ou d'une butte permanente.

La couche chaude était autrefois chauffée au fumier de cheval et recouverte de châssis sur un plan incliné vers le sud. Aujourd'hui, vu la rareté du fumier de cheval, on fait la même chose dans une caisse permanente (page 75) recouverte de verre ou de plastique. La température se contrôle à l'aide d'un fil électrique chauffant relié à un thermostat. Ce fil serpente sur le sol entre les rangs de légumes.

◁◁◁ La couche chaude.

La serre

Une serre est un excellent moyen de prolonger la saison de végétation en créant des conditions tropicales sous nos latitudes. Les
serres appuyées au sud d'un mur accumulent plus de chaleur et
sont protégées du froid par le mur nord. Comme chauffage
d'appoint efficace, on dépose sur le sol un fil
électrique chauffant et on le fait serpenter le
long des rangs. Diviser la serre en caisses permanentes de 1,2 m (4 pi) de large par la longueur voulue (page 75). On a avantage à construire ces planches surélevées dans la serre, le sol
fertile et chaud permet de planter en rangs serrés.

La serre:
Quantité d'engrais à apporter en
bande, 1 fois par mois avec ½ po
de compost:
   Serre de 10 m (100 pi)
   Engrais organique BIO-JARDIN
   (4-3-6):1 kg.

Le terreau de la caisse est abondamment amendé
au compost et aux poudres de roche (page 84) avant la saison. Le
mulch de compost (page 78) est appliqué tous les mois avec les
engrais organiques afin de maintenir une activité biologique intense en surface et des éléments fertilisants en quantité optimale.
Ainsi on peut obtenir les mêmes rendements que par la culture
hydroponique!

La serre
permet de
créer des
conditions
tropicales
sous nos
latitudes.

TERREAU DE PLANTATION

Culture Biologique
Fertilisation complète pour 4 mois
avec engrais 100 % naturels

JARDINS EN POTS ET BACS DE CULTURE
1 mètre cube

INGRÉDIENTS		QUANTITÉS par m³	
MOUSSE DE TOURBE (PEAT MOSS) :	50 %	0,50 m³ (Comprimé)	12 pi³
PERLITE :	22 %	2 sacs X 0,22 m³	4 pi³
COMPOST mûr ;	18 %	6 sacs X 30 L, (180 L) (0,18 m³)	6,3 pi³
SABLE HORTICOLE :	10 %	100 L (0,10 m³)	1 pi³

Engrais :	8-3-3,Mg (140 jours)	mica, poudre 0-0-10, mg	basalte, poudre 0-0-4, mg	cendres de bois franc	Os Fossile en poudre 0-27-0	extrait de poisson 2-4-2
quant./m³	6 kg	1,5 kg	12 kg	3 kg	10 kg	2 litres

UTILISATION

**Terreau de transplantation - culture en caev - Jardins intérieurs -
Fines herbes**

▶ Ce substrat horticole de culture possède toutes les qualités des meilleurs mélanges professionnels: capacité de rétention d'eau, bon drainage, porosité idéale, stabilité structurale.

▶ Il contient du compost bien décomposé, libre d'organismes pathogènes. C'est de la matière organique vivante, des micro-organismes utiles et des éléments nutritifs. Le sable horticole ouvre le terreau, lui donne du corps et l'empêche de se rétracter lorsqu'il s'assèche.

▶ Ce terreau met à profit les propriétés de libération prolongée (140 jours) et de faible salinité de l'engrais organique (8-3-3, 1,5 Mg). Les poudres de roche de mica et de basalte se décomposent rapidement, à cause de leur finesse de mouture, ils imitent les processus de formation du sol, libèrent leurs éléments fertilisants, se transforment en argile de qualité, améliorent la CEC (capacité d'échange cationique) et concourent à la formation de complexes argilo-humiques.

▷ Ce mélange de plantation contient tout l'engrais nécessaire pour 4 mois de culture dans le substrat, sans danger de brûler et sans excès de salinité. La salinité du substrat est élevée au départ de la culture ; cependant elle diminuera à mesure que les plantes vont prélever les éléments. Se rappeler qu'il contient les engrais pour 4 mois de culture pour la plupart des plantes. S'il y a lieu, contrôler les carences par une analyse foliaire après 3 mois.

N.B. Fertiliser l'eau d'arrosage ou fertiger avec de l'Extrait de poisson liquide (2-4-2): dilution 1/100, pendant le premier mois de culture.
(Après 1 mois les bactéries auront transformé les minéraux insolubles en engrais).

Le travail du sol

Le bêchage

À chaque printemps, je bêche la butte, la planche ou la caisse dès que le sol est assez sec. Je ne retourne pas la terre. Je pique le sol de la profondeur de la bêche ou de la fourche à jardin et je soulève le sol en me servant du manche comme levier. Voilà mon sol ouvert et aéré.

Le binage

Le binage régulier aère le sol du jardin et contrôle les 300 à 600 semences de mauvaises herbes au pied carré. Ces herbes indésirables veulent pousser, je dois les en empêcher si je veux avoir un beau jardin et récolter de beaux légumes.

Au printemps, j'égalise la planche et je prépare le lit de semences.

Le faux semis : j'attends quelques jours, dès que le temps est propice, les mauvaises herbes germent et poussent. Par temps ensoleillé et sec, je détruis ce faux semis en binant la planche au râteau. Puis j'expose les plantules au soleil. Je prépare alors un nouveau lit de semences et je sème les légumes hâtifs (au dégel). J'applique une couche de mulch sur le reste du jardin réchauffé, afin que la surface du sol ne sèche pas mais qu'elle demeure bien vivante. J'enlève le mulch sur le rang avant de semer ou de planter.

À chaque repousse des mauvaises herbes, je bine. Un binage vaut deux arrosages, dit le dicton. Les capillaires qui amènent l'eau du sol en surface pour l'évaporer sont coupés, détruits. La croûte de surface qui est trop lourde est ameublie, les micro-organismes aérés.

Le semis
Je sème mon potager en 3 étapes : au dégel, 10 jours avant la fin des gelées et après la dernière gelée (Voir le calendrier de semis page 89). À chaque fois je surveille la germination des mauvaises herbes dans le sol, c'est le signe de la bonne conjoncture astrale et climatique pour la germination des semences de légumes. Je passe le râteau, j'expose au soleil ce faux-semis (Voir : Le binage ci-contre), je fais les sillons et je sème.

TRUC : Faire gonfler les graines de semences.
Pour réussir mes semis de carottes et des autres petites graines, je les mets à tremper dans l'eau ou dans le purin dilué de valériane, jusqu'à ce quelles soient bien gonflées et prêtes à germer (environ 2 à 3 jours). Je les roule dans la cendre de bois ou dans l'argile, jusqu'à ce que les graines soient assez sèches et qu'elles se séparent les unes des autres. Avec ce traitement et l'enrobage elles sont 3 à 4 fois plus grosses ; il est alors plus facile de semer avec le bon espace entre les graines. Les semis se mettent alors à germer et à pointer rapidement et les rangs de légumes se distinguent facilement des mauvaises herbes.

Je fais aussi gonfler les graines de semences plus grosses comme les courges et les concombres dans le purin de fleurs de valériane.

Le mulch

Le mulch est une couche de végétaux faite de compost, ou de mousse de tourbe, ou de feuilles, ou de résidus de jardin, ou d'engrais vert coupé, ou de tout autre résidu organique. Nous en mettons 3 à 5 cm (1 à 2 po) au jardin pour garder les organismes du sol en pleine activité. Il protège le sol de l'impact des gouttes d'eau de pluie ; elles brisent la structure friable du sol exposé. Le sol mis à nu, sans compost, perd son humidité et sa chaleur pendant la nuit.

La nature a horreur du vide laissé par le sol découvert, les mauvaises herbes cherchent à l'habiter, le recouvrir.

Sur les sols légers, on applique le mulch au printemps dès que le sol est réchauffé. On l'enlève par la suite pour semer ou planter. Les sols lourds, plus longs à réchauffer, sont «mulchés» plus tard, quand les légumes atteignent 10 cm (4 po). On attend une bonne pluie ou l'on arrose abondamment avant de déposer le mulch.

L'arrosage

J'arrose tôt le matin car le soleil réchauffe rapidement la terre. Le jardin perd beaucoup de chaleur lors de l'arrosage du soir et de l'évaporation d'eau qui s'en suit. L'humidité élevée dure toute la nuit et encourage les maladies à champignons.

Les légumes préfèrent des arrosages en profondeur ; plus d'eau et moins souvent.

LA PROTECTION DES PLANTES

Les légumes croissent dans un milieu vivant et bien équilibré en minéraux ; ils développent ainsi une vitalité et une résistance aux envahisseurs. De plus, les myriades d'êtres vivants du sol maintiennent en équilibre les pathogènes et les parasites en empêchant ainsi leur multiplication à des niveaux épidémiques.

Mon niveau de tolérance aux insectes est très élevé si bien que je n'utilise jamais de pesticides au potager. J'utilise les purins de plantes et j'enlève les quelques insectes nuisibles et plantes malades à la main. Les plantes s'habituent à se protéger elles-mêmes ou à se faire protéger… N'intervenons au jardin que lorsque c'est nécessaire.

⌃⌄ Les rangs de légumes se
distinguent facilement.

ÉCOUTE LE LARGE

ÉCOUTE LE LARGE

(…)
Les yeux sur l'infini
Pétris l'argile
Sculpte la glaise
Touche au sensible

Touche à l'humus velours
Endormi jusqu'au lit
Des semences en croissance

Ne reste pas suspendu
À l'orage.
(…)

*Extrait du poème
de Lucie–Soleil Ouellet, St-Bruno*

Voici une liste des insecticides et fongicides les plus efficaces, recommandés en culture écologique ou biologique quand on doit intervenir !

NOM PROPRIÉTÉS	INSECTES MALADIES	TYPE D'ACTION TEMPS D'ACTION	MODE D'EMPLOI
Bt *(Bacillus thuringiensis)* Toxique pour toutes sortes de chenilles.	Ver du chou, teigne du poireau et vers gris. Utiliser le B. t. *tenebrionis* contre le doryphore.	Bactéries toxiques. Mort des chenilles en 24 à 48 heures. Disparaît en 2 jours ou moins.	En liquide ou en poudre. Appliquer en fin de journée et recommencer après la pluie. Mélanger avec le savon à vaisselle.
Terre Diatomée (Insectigone) Contre insectes à corps mou, escargot et limace.	Éloigne les pucerons, les larves de doryphore, les scarabées et les thrips.	Squelettes de diatomées ont des pointes acérées comme des cristaux. Ils égratignent la cuticule des insectes qui meurent par dessiccation. Ils percent leur estomac. Recommencer après la pluie.	Plus efficace avec la pyrèthre ou un appât comme la mélasse. Porter un masque à poussière.
Poudrage d'argile, de basalte, de lithothamne... Répulsif éloigne les insectes. Antifongique.	Scarabées japonaises, doryphores... Contre le blanc.	La poudre fine d'argile kaolin, de poussière de basalte ou de lithotamne (tamis 350 mailles) laisse un film de poussière. Assèche les feuilles.	Appliquer par poudrage ou arrosage à pression. Mélanger avec le Bt ou la pyrèthre.
Huile minérale, huile à bébé ou **végétale** Canola, Maïs,... Insecticide par contact. Fongicide.	Contre pucerons, ver de l'épi du maïs, chenilles, tétranyques, aleurodes. Prévient le blanc, le mildiou, la tavelure.	Asphyxie et suffocation des insectes. L'effet dure 15 jours. Inhibe la germination des spores.	1 c. table d'huile + 1 c. thé de savon à vaisselle dans 1 l d'eau. Ne pas appliquer pendant la sécheresse, le froid ou des jours très humides.
Savon à vaisselle Insecticide de contact.	Contre les acariens, aleurodes, pucerons.	Destruction de la cuticule des insectes par les sels de potasse et les acides gras par contact.	Diluer 2 c. à table dans 4 l d'eau tiède. Attention aux températures très chaudes.
Savon, huile et petite vache Insecticide et fongicide général.	Contre presque tous les ennemis des cultures.	Asphyxie et dessiccation des insectes. Destruction des spores des champignons et bactéricide. L'effet dure 15 jours.	Dans 1 l d'eau tiède diluer 1 c. à table de savon 1 c. à table d'huile 1 c. à table de bicarbonate de soude.

Pyrèthre Plante annuelle ou vivace. Insecticide de contact.	Contrôle la majorité des insectes.	Très toxique. Se dégrade rapidement au soleil. Efficace de 12 à 48 heures.	Fleurs macérées, infusées ou séchées. Appliquer en fin de journée ou sous les nuages.
Purin de prêle et d'ortie Plantes indigènes macérées dans l'eau. Prévention des maladies à champignon et des petits insectes.	Combat les pucerons, acariens et les aleurodes. Prévient le mildiou, le botrytis, la fonte du semis, la pourriture des tubercules, le noircissement des feuilles, la tavelure.	Disparition des petits insectes en quelques jours. Action préventive contre les maladies à champignons surtout au printemps ou à l'automne. Tonique pour les plantes.	Diluer 10 fois la décoction ou la macération et dynamiser. Arroser le feuillage régulièrement (Voir : Purin végétaux Annexe IV).
Purin de tanaisie Fleur indigène, décoction macérée de 12 heures. Antifongique. Insectifuge. (Annexe IV).	Combat les pucerons, noctuelles, les mouches de l'oignon, du choux et de la carotte. Prévient le mildiou et la rouille.	Éloigne les insectes phytophages des petits fruits et insectes du sol. Action préventive contre les maladies à champignons.	Diluer 10 fois la décoction et dynamiser. Arroser le feuillage et le sol.

<<< Les citrouilles à l'halloween.

3 LES PLATES-BANDES

J'aime m'isoler quelque temps de l'animation du monde moderne, me reposer de la vie trépidante, me ressourcer devant une plate-bande fleurie. Les pieds dans le gazon, la tête dans les fleurs, ça me stimule : je sens les énergies de la terre et de l'univers circuler à travers moi.

Les fleurs m'impressionnent : leur couleur agit sur mon subconscient et font monter en moi des émotions. J'aime l'effet que me procure une plate-bande fleurie, la

‹‹‹ *Je dépiste l'alyssum par son arôme.*

synergie des couleurs, l'harmonie des formes, la subtilité des odeurs. Je m'approche, je touche les fleurs du bout des doigts, je laisse les épines de la rose et les aiguillons du cactus m'égratigner. Je dépiste l'alyssum par son arôme, je caresse la monarde et laisse son parfum chatouiller mes narines. J'ouis le bruissement des feuilles de saule dans la brise d'été et je réponds au chant des oiseaux.

‹‹‹ Je caresse la monarde et laisse son parfum chatouiller mes narines.

©Photo : Marcel Arsenault

Ce jardin est beau et plaisant.

L'AMOUR DE MOY

L'AMOUR DE MOY

(Chanson anonyme du XVI siècle)

L'amour de moy s'y est enclose
Dedans un joli jardinet
Où croît la rose et le muguet
Et aussi fait la passerose.

Ce jardin est bel et plaisant,
Il est garni de toutes flours.
On y prend son ébatement,
Autant la nuit comme le jour.

La plate-bande écologique est en harmonie avec la nature, les plantes sont magnifiques et resplendissantes de santé.

©Photo : Caroline Bureau

Apportez du compost domestique.

La plate-bande est écologique par sa diversité botanique : arbres, arbustes, vivaces, bulbes et annuelles entremêlent leurs racines et créent l'équilibre naturel par compagnonnage. Cultivons en harmonie avec la nature, soignons en accord avec l'environnement, équilibrons la terre selon la méthode biologique. Nos plantes seront magnifiques et resplendissantes de santé.

ENTRETIEN ÉCOLOGIQUE D'UNE PLATE-BANDE

La culture écologique

Cultivez votre plate-bande de façon naturelle avec compost, engrais organiques et parfois avec des amendements minéraux. Vos plantes seront en santé et magnifiques avec leurs couleurs vives. Dans la plate-bande, les racines s'entremêlent et les plantes échangent leurs essences et leurs parfums ; elles se protègent, l'une éloigne les insectes nuisibles de l'autre. Les maladies dévastatrices sont rares dans la nature, grâce à la diversité végétale : peu de plantes sont totalement dévastées ou exterminées par les insectes.

LA FERTILISATION NATURELLE

Fertilisez avec de l'engrais organique à chaque printemps et appliquez une deuxième dose en été afin d'avoir une floraison abondante. Chaque printemps ou à tous les 2 printemps, apportez du compost domestique (page 78) ou du vrai compost du commerce.

Si le sol ne convient plus : trop sec, trop sableux ou trop pauvre, faites des apports importants de mousse de sphaigne en plus du compost. (Voir ci-après le tableau) :

Apports importants de matière organique, (page 70).

Pour les plantes acidophiles, ne mettez pas de chaux et appliquez un mulch acide d'aigrettes de pin.

1- Chaque année ou aux 2 ans, épandre 6 mm ($\frac{1}{4}$ po) d'épaisseur de compost sur la plate-bande.

QUANTITÉS À APPORTER POUR 6 MM ($\frac{1}{4}$ PO) DE COMPOST			
ÉPAISSEUR DE COMPOST	SUPERFICIE DU JARDIN	VOLUME DU COMPOSTE APPORTÉ	POIDS DU COMPOST
6 mm ($\frac{1}{4}$ po)	10 m² (100 pi²)	60 dm³ (2 pi³)	34 kg (75 lb)
6 mm ($\frac{1}{4}$ po)	30 m² (300 pi²)	180 l (6 pi³)	100 kg (220 lb)

2- Chaque année, au printemps et en été, fertilisez la plate bande, en surface, avec 1-2 kg d'engrais organique et naturel par 10 m² (100 pi²). Les engrais complets (N-P-K) du commerce donnent une floraison abondante.

EXEMPLES D'ENGRAIS COMPLETS DU COMMERCE À BASE DE FARINE DE PLUMES

- Engrais 5 ... ou (4-3-6) = 1 kg/10 m² (100 pi²) printemps et 1 kg en été.

- **Engrais** (8-3-3) ou (9-2-2) = 0,5 kg/10 m² (100 pi²) printemps et 0,5 kg en été.

Vous pouvez aussi faire votre recette d'engrais vous-même. Appliquez une des sources de N, de P et de K :

(N) Sources d'azote :
- Farine de plumes ou de sang, ou de poisson = 0,5 kg/10 m² (100 pi²) au printemps et 0,5 kg en été.
- Tourteau de soya, ou luzerne déshydratée, ou fumier de poulet séché= 1 kg/10 m² (100 pi²) au printemps et 1 kg en été.

(P_2O_5) Sources de phosphate ; appliquez le printemps :
- Os Fossile (phosphate naturel) = 1 kg/10 m² (100 pi²) ou
- Poudre d'os = 1 kg/10 m² (100 pi²)

(K_2O) Sources de potasse ; appliquez le printemps :
- Sulfate de potassium et de magnésium (0-0-18, 11Mg) = 400g/10 m²(100 pi²)
- Sulfate de potassium (0-0-50) = 200g/10 m² (100 pi²)
- Cendres de bois = 1 kg/10 m² (100 pi²)

Si vous voulez prévenir les maladies, avoir des fleurs luxuriantes et plus grandes que nature, appliquez aussi à chaque printemps :
- Algues séchées : 1 kg/10 m² (100 pi²) ou
- Basalte (Bio-Roche) : 2 kg/10 m² (100 pi²)

Si la terre est pauvre, légère, sablonneuse ou humifère (terre noire) épandez aussi de la :
- Poudre d'os ou Os Fossile 1 kg/ 10 m² (100 pi²)
- Chaux dolomitique 1 kg/10 m² (100 pi²)
- Argile, kaolin 3 kg/10 m² (100 pi²)

TRAVAIL DU SOL

Binez pour contrôler les mauvaises herbes et briser la croûte de surface du sol, cela équivaut à 2 arrosages.

- ➤ Arrachez les mauvaises herbes au tire-racines. (Voir page 29).
- ➤ Transplantez, divisez vos vivaces et plantez les annuelles.
- ➤ Ne bêchez pas le sol inutilement, ne brisez pas les racines des arbres et la structure granulaire du sol; ne dérangez pas les êtres vivants qui travaillent pour vous.

TAILLE DES FLEURS MORTES

- ➤ Enlevez les fleurs mortes en les pinçant entre le pouce et l'index. Taillez ou coupez la tige florale dès que les fleurs se fanent.

ARROSAGE

- ➤ Arrosez la plate-bande de vivaces aux 10 jours, comme le gazon. Les plantes rustiques qui ont passé l'hiver dehors et qui possèdent de longues racines peuvent résister à la sécheresse. Cependant, les annuelles fraîchement transplantées ont besoin d'arrosage. Si les feuilles commencent à ramollir par manque d'eau, comme les plantes d'ombre lorsqu'elles sont exposées au soleil, arrosez.
- ➤ Binez, pour travailler le sol, car un binage vaut 2 arrosages : la binette bouche les capillaires, les mini conduits par lesquels l'eau monte en surface.

LES INSECTES ET LES MALADIES

Les végétaux bien adaptés à leur environnement, plantés dans un sol vivant avec un bon équilibre minéral, retrouvent leur résistance naturelle. La diversité botanique de la plate-bande est aussi un atout. Certaines plantes plus sensibles,comme les lys, sont protégées des insectes nuisibles par des pyrèthres vivaces ou annuelles plantées en compagnonnage. Les fleurs de pyrèthre contiennent des pyréthrines, un des plus puissants et des plus populaires insecticide végétal.

Je ne traite jamais mes plates-bandes car mes plantes sont en santé, mais si vous devez le faire, utilisez les produits acceptés en culture écologique, ce sont les moins toxiques. (Voir : Liste de insecticides et fongicides, page 100).

N'appliquez pas de produits chimiques, pesticides, engrais, composts industriels qui contiennent des toxines, et qui interfèrent avec la vie du sol, et qui déstabilisent la chaîne vivante. La destruction des auxiliaires de la lutte aux ravageurs : insectes bénéfiques, prédateurs, oiseaux, batraciens, etc. ne peut que créer des problèmes potentiels.

≈ Découpez la forme
de la plate-bande.

Mettez toutes les chances de votre coté, travaillez en harmonie avec les énergies cosmiques ; servez-vous du calendrier lunaire Bio-dynamique pour connaître le jour et l'heure idéale pour les interventions au jardin. (Voir : Calendriers Biodynamiques page 90).

Stimulez les plantes de la plate-bande avec du purin d'orties, arrosez le feuillage par temps couvert ou le sol, c'est très bénéfique. (Voir : Les purins végétaux, Annexe IV).

≈ Enlevez
la végétation
à la pelle.

ÉTABLISSEMENT D'UNE PLATE-BANDE

TRAVAIL DU SOL
Pour établir une nouvelle plate-bande dans le gazon, 3 façons de faire :

1- Découpez la forme de la plate-bande avec un coupe bordures ou une pelle et enlevez la végétation à la pelle ou

2- enlevez la végétation à la déplaqueuse de gazon (machine à récolter ou découper le gazon en plaques).

≈ Bêchez toute la
plate-bande de la
profondeur de la
pioche.

Empilez les plaques de gazon, les racines en l'air, sous un arbre ou dans un coin ombragé du terrain. Dans un an, elles seront transformées en un riche terreau ou

3- incorporez la végétation avec un motoculteur ou bêcheuse rotative (3 passages) et extirpez les racines des mauvaises herbes à la fourche.

Bêchez toute la plate-bande de la profondeur de la pioche et égalisez au râteau.

©Photos : Caroline Bureau

≈ Égalisez au râteau.

©Photo : Caroline Bureau

La tourbe de sphaigne et l'Os Fossile sont recommandés pour augmentez le taux de matière organique pour la fécondité de la plate-bande.

AUGMENTEZ LE TAUX DE MATIÈRE ORGANIQUE POUR LA FÉCONDITÉ DE LA PLATE-BANDE

Si la terre est pauvre et le niveau de matière organique trop bas, si vous faites une plate-bande dans un sable sec ou une argile lourde, corrigez la texture du sol avec des apports importants de compost et de mousse de tourbe. Dès la première année, vos plantes et fleurs de jardin vont s'enraciner facilement, se développer et résister aux conditions climatiques difficiles. Les années suivantes, apportez du compost afin de maintenir l'humus, gage de la fertilité.

La plate-bande peut devenir instantanément fertile avec 2,5 cm (1 po) de matière organique : $\frac{1}{2}$ bon compost et $\frac{1}{2}$ tourbe de sphaigne.

APPORTS IMPORTANTS DE MATIÈRE ORGANIQUE / CORRECTION DU TAUX D'HUMUS DU SOL

ÉPAISSEUR DE COMPOST	SUPERFICIE DU JARDIN	VOLUME DU COMPOST APPORTÉ	POIDS DU COMPOST
1,2 cm ($\frac{1}{2}$ po)	10 m² (100 pi²)	120 dm³ (4 pi³)	70 kg (150 lbs)
1,2 cm ($\frac{1}{2}$ po)	30 m² (300 pi²)	360 dm³ (12 pi³)	225 kg ($\frac{1}{4}$ tonne)

ÉPAISSEUR DE TOURBE DE SPHAIGNE*	SUPERFICIE DU JARDIN	VOLUME DE LA MOUSSE DE TOURBE*	NB. DE DM³ TOURBE COMPRIMÉE*
1,2 cm ($\frac{1}{2}$ po)	10 m² (100 pi²)	120 dm³ (4 pi³)	90 dm³ (3 pi³)
1,2 cm ($\frac{1}{2}$ po)	30 m² (300 pi²)	360 dm³ (12 pi³)	2,7 m³ (9 pi³)

* Ajoutez un sac de chaux dolomitique de 18 à 20 kg à chaque 2,7 m³ (9 pi³) de tourbe de sphaigne

De plus, stimulez l'enracinement par l'apport de phosphate :

> Os Fossile (phosphate naturel) = 1 kg/10 m^2 (100 pi^2) ou

> Poudre d'os = 1 kg/10 m^2 (100 pi^2)

CONCEVOIR SA PLATE-BANDE

La plate-bande ressemble à son concepteur. L'écologiste tend à ce que ce soit naturel : il s'inspire donc de la flore locale. La majorité des jardiniers plantent des végétaux à la mode. Les créateurs composent sans cesse de nouvelles harmonies végétales, ils créent la mode des années futures. Votre architecte paysagiste y met beaucoup de son goût personnel et aussi du vôtre.

Le jardin avec ses plates-bandes démontre à l'œil averti une telle tendance ou un tel style. Il existe différents styles de jardin, soient le style québécois, le style classique des jardins français ou le style des jardins anglais qui s'intègrent au paysage.

Le jardin chinois se modèle sur la nature et tente de recréer sa perfection. Les roches inanimées au jardin évoquent les montagnes, la stabilité et mettent en valeur la légèreté des plantes. Le grand jardin chinois est clairsemé en petits espaces.

Le jardin d'eau est synonyme de richesse. L'étang reflète le ciel changeant, le soleil, les nuages, la lune, les étoiles, il réfléchit l'énergie de l'univers. Le roucoulement de l'eau du ruisseau et de la fontaine, la nage des poissons, tous symbolisent l'abondance.

Les jardins de vivaces symbolisent la longévité. Par opposition, les jardins d'annuelles ne font qu'un temps, le temps d'emplir les espaces libres de la plate-bande.

Le petit jardin percé d'ouvertures vers de grands espaces.

<<< L'étang
reflète le ciel
changeant,
il réfléchit
l'énergie de
l'univers.

Le jardin japonais, retrouver la
quiétude et l'harmonie de l'âme.

∧ Le Jardin japonais, suggère des
expressions par les formes.

La puissance ⟩⟩⟩
évoquée par
les veinures
de la surface
de la roche...

Le choix des végétaux

Choisissez des végétaux bien adaptés à votre plate-bande sinon ils vont vivoter, être la proie des envahisseurs et disparaître. Vous devez connaître votre jardin et savoir :

- ▷ Si le terrain est ensoleillé ou ombragé,
- ▷ si le drainage est bon ou si le sol est humide,
- ▷ si votre zone climatique correspond à la rusticité des plantes et
- ▷ si l'espacement entre les plantes sera suffisant dans l'avenir.

La profondeur du sol, la fertilité, la richesse en humus et l'acidité peuvent toutes se modifier par l'apport de terreau, d'amendements et d'engrais.

Choisissez des végétaux bien adaptés...
si le terrain est ombragé.

Donnez un air naturel à votre plate-bande.

Tentez de retrouver le monde naturel, cultivez en accord avec l'environnement, choisissez des plantes locales, rustiques. Ne faites pas jaunir votre pouce vert avec des plantes difficiles à réussir.

Résistez à l'achat d'une seule belle plante. Plantez par groupe de 3, 5, 7 et plus. Dans la nature, les plantes poussent en « bouillées », ou en masses de plantes bien définies. Créez des lignes simples et fortes, mais avec un nombre restreint d'espèces. Ajoutez d'autres végétaux qui vont bien avec la masse. Inspirez-vous des aménagements paysagers de votre ville. Allez visiter des parcs, des grands jardins, des jardins botaniques de votre région ; les guides touristiques et les cercles horticoles les connaissent bien.

©Photo : Marcel Arsenault

Dans la nature, les plantes poussent en « bouillées ».

Allez visiter des parcs, des ⟩⟩⟩ grands jardins.

Égayez les façades
de briques.

L'emplacement dans la plate-bande

Commencez par placer les grandes plantes et les grimpantes ; terminez par les petites plantes. Tentez d'obtenir une floraison continue toute la saison. Donnez aux végétaux suffisamment d'espace pour leur développement ; estimez la croissance dans le temps, suivez l'espacement recommandé. Rappelez-vous que vous plantez pour l'avenir : les vivaces atteignent leur apogée de 3 à 5 ans après la plantation. Comblez les vides avec les annuelles et les bulbes avant que les pérennes aient atteint leur taille.

Tout espace inutile peut devenir une plate-bande : un gazon manqué, un terrain vague, un sous-bois, une façade de maison, une cour arrière, les espaces communs d'un bloc d'appartements ou d'un condo, une parcelle du jardin potager,…

Égayez la façade
de votre maison.

Égayez vos murs de pierres. *(Photo prise à la Maison Saint-Gabriel).*

La couleur

La couleur de votre plate-bande dépend de vos goûts personnels. La teinte change selon la clarté du jour et la coloration de la saison. Le regard qu'on y porte reflète la couleur de nos émotions.

L'harmonie des couleurs par le cercle chromatique du peintre

Inspirées par la jardinière anglaise, Gertrude Jekyll au début du siècle dernier, plusieurs générations de concepteurs de jardins utilisent le cercle chromatique, composé des 3 teintes primaires et des 3 teintes binaires pour se guider vers les harmonies de couleurs :

- ▸ deux familles de fleurs de couleurs opposées, ou qui se font face dans le cercle sont complémentaires et créent un fort contraste donnant un effet dominant dans la plate-bande ;
- ▸ deux masses de fleurs de couleurs adjacentes forment des couples harmoniques ;
- ▸ des fleurs des trois couleurs adjacentes, quand la couleur centrale est enfermée par les deux autres, forment des harmonies ; les 3 autres coloris leur font contraste.

⚡ Cercle chromatique.

La plupart d'entre nous apprécient les harmonies, les contrastes et les complémentaires. Lorsque ces règles ne peuvent être appliquées, les couleurs qui se heurtent doivent être séparées par des tons neutres, blanc, gris ou vert foncé.[1]

©Photo : Marcel Arsenault

⟨⟨⟨ Suivez la progression des couleurs des premières tulipes.

[1]GALE, H., *Le grand livre du Feng Shui*, Manise, 2001, p.134

‹‹‹ Inspirez-vous de la gamme des couleurs des fleurs sauvages.

Ce ruban de ›››
fleurs jaunes
éclaire le sous-
bois et invite à
suivre la route.

‹‹‹ ...jusqu'aux teintes d'automne.

Les potées fleuries et les plantes de patio

Qu'il fait bon vivre à l'extérieur, durant la saison estivale, entouré de plantes vertes, sur nos balcons, nos vérandas ou nos patios. Des buissons et des arbres miniatures, comme des pommiers nains, rendent privé certains espaces. Les jardinières fleuries nous apportent la gaieté et nous embaument d'odeurs suaves.

Les plantes de maison purifient l'air et apportent un petit quelque chose d'intangible, une vibration du monde végétal, une force vitale. Il fait bon vivre, on se sent bien et on revient dans les maisons ou croissent les fleurs.

Il est relativement facile d'établir un mini-jardin biologique sur le patio ou la véranda, faites monter quelques plants de tomates et de concombres et aussi des herbes aromatiques : basilic, persil, ciboulette, etc. Le secret de la réussite est dans la qualité du terreau de culture.

Procurez-vous un mélange de terreau professionnel à votre centre-jardin (PRO-MIX, etc.). Ajoutez-y 25 % de vrai compost pour apporter des micro-organismes, 10 % de sable pour donner du corps et du poids au terreau et des engrais naturels. Suivez cette recette de terreau, faite avec des engrais de farine de plumes et de minéraux à libération prolongée. Vos plantes auront une bonne croissance pendant 4 mois, sans autre engrais. (Voir : Terreau page suivante).

Il fait bon vivre dans ⟩⟩⟩
les maisons ou
croissent les fleurs.

©Photo : Marcel Arsenault

Qu'il fait bon vivre à l'extérieur,
entouré de fleurs et de plantes vertes.

Terreau à potées fleuries et à plantes de patio

Culture Biologique
Fertilisation complète pour 4 mois
avec engrais 100% naturels

POTÉES FLEURIES ET PLANTES DE PATIO
100 litres ou 10 décimètres cubes

INGRÉDIENTS		QUANTITÉS par brouette de 100 l	
Terreau professionnel (PRO-MIX, etc.) :	75%	2 pi³ (Comprimé) (3 pi³ défait, relâche)	75 l
COMPOST, vrai et mûr :	25%	1 sac (25 litres)	25 l
SABLE HORTICOLE :	10%	10 litres	10 l

Engrais :	8-3-3,Mg (140 jours)	mica, poudre 0-0-10, mg	basalte, poudre 0-0-4, mg	cendres de bois franc	Os Fossile en poudre 0-27-0	extrait de poisson 2-4-2
quant./m³	0,5 kg	0,5 kg	1 kg	3 kg	1 kg	200 ml

UTILISATION

**Terreau de transplantation - culture en sacs -
Jardins intérieurs - Fines herbes**

▷ Ce substrat horticole de culture possède toutes les qualités des meilleurs mélanges professionnels : capacité de
rétention d'eau, bon drainage, porosité idéale, stabilité
structurale.

▷ Il contient du compost bien décomposé, libre d'organismes pathogènes, c'est de la matière organique vivante,
des micro-organismes utiles et des éléments nutritifs. Le
sable horticole ouvre le terreau, lui donne du corps et
l'empêche de se rétracter lorsqu'il s'assèche.

▷ Ce terreau met à profit les propriétés de libération prolongée (140 jours) et de faible salinité de l'engrais organique (8-3-3, 1,5Mg). Les poudres de roche de mica et de
basalte se décomposent rapidement, à cause de leur finesse de mouture, elles imitent les processus de formation du
sol, libèrent leurs éléments fertilisants, se transforment en
argile de qualité, améliorent la CEC (capacité d'échange
cationique) et concourent à la formation de complexes
argilo-humiques.

▷ Ce mélange de plantation contient tout l'engrais nécessaire pour 4 mois de culture, sans danger de brûler et sans
excès de sel. La salinité du substrat est élevée au départ
de la culture ; cependant elle diminuera à mesure que les
plantes vont prélever les éléments. Rappelez vous qu'il
contient les engrais pour 4 mois de culture pour la plupart
des plantes. S'il y a lieu, après 3 mois, faire une analyse
foliaire et corriger les carences de certains éléments.

N. B. Fertilisez l'eau d'arrosage ou fertigez avec de l'Extrait de poisson liquide (2-4-2) :
dilution 1/100, pendant le premier mois de culture.
(Après 1 mois les bactéries auront transformé les minéraux insolubles en
engrais).

ENTRETIEN DES PLANTES EN POT

Fertilisez les plantes en pot à l'extérieur plus souvent, car les pluies et les arrosages fréquents délavent les engrais. À chaque printemps, remplissez le pot avec du vrai compost ou du terreau.

Plantes d'intérieur: apportez des engrais naturels, 3 fois par année aux plantes en pot à l'intérieur: au printemps, à l'été et à l'automne.

Plantes en pots d'extérieur: saupoudrez des engrais en surface des pots, une fois par mois ou 5 à 6 fois par année.

Les engrais organiques pour le jardin et pour le gazon du commerce sont efficaces. Recherchez les engrais à base de farine de plumes, ce sont des engrais à libération prolongée et mélangez-les avec du basalte.

Mélangez:

▶ (50%) ou une partie d'engrais (8-3-3) ou (9-0-0) ou les engrais à fleurs (4-4-7) ou engrais équivalents avec

▶ (50%) ou une partie de basalte, poudre de roche.

Quelquefois par saison, fertilisez l'eau d'arrosage avec de l'Extrait de poisson liquide (2-4-2) et/ou de l'extrait d'algues liquides, la dilution est 1/100.

QUANTITÉS D'ENGRAIS ORGANIQUE 50/50, (8-3-3) + BASALTE, À APPLIQUER EN SURFACE SELON LA GROSSEUR DU POT:			
▶ 12 cm	(5 po)	=	15 ml	(1 c. à table)
▶ 15 cm	(6 po)	=	30 ml	(2 c. à table)
▶ 20 cm	(8 po)	=	60 ml	(4 c. à table)
▶ 25 cm	(10 po)	=	90 ml	(6 c. à table)
▶ 30 cm	(12 po)	=	120 ml	(8 c. à table)

Plantes d'intérieur: printemps, été et automne
Plantes d'extérieur: 1 fois par mois

Arrosage

Arrosez souvent les plantes en pot à l'extérieur, à tous les jours, s'il le faut, jusqu'à ce que le sous plat déborde. Vérifiez souvent l'humidité des pots, avec vos doigts. À l'intérieur, attendez que le sol soit sec avant d'arroser.

4 LES ARBRES ET LES ARBUSTES

Depuis l'origine du monde, les arbres et les arbustes jouent un rôle primordial dans le maintient de la vie sur terre en fournissant une part importante d'oxygène.

De plus, par leurs couleurs et leur formes, ils s'immiscent dans tout paysage achevé, guidant ainsi le regard et les courants d'énergie. Les arbres majestueux embellissent et forment un écran ou se réfléchissent des scènes verdoyantes.

<<< Les arbres jouent un rôle primordial
      dans le maintient de la vie sur terre.

LES ARBRES ET LA VIE

Quand l'homme abandonne la terre, les arbres le suivent. Les anciennes terres agricoles ne demeurent pas longtemps en friche. Après une vingtaine d'années, les arbres ont repris leurs droits, les champs qui ornaient le paysage sont devenus forêt. Comme avant la colonisation.

Les colonisateurs anglais et français d'Amérique ont rapidement exploité les arbres. Sur toute la terre, depuis des millénaires l'homme aime les arbres, se les approprie, les exploite. Souvent quand l'arbre disparaît, que la terre devient aride et que le climat devient adverse, l'homme fuit ces zones devenues désertiques. Il va bâtir, vous le devinez, dans les oasis là où il y des arbres. Autrefois identifié comme l'ennemi à abattre, pendant les guerres avec les Amérindiens, par exemple, l'arbre devait reculer, s'éloigner des habitations. Dans le même esprit les rois d'Angleterre ont fait raser les forêts d'Irlande, créant de grandes landes artificielles.

Depuis toujours les arbres servent à bâtir bateaux et habitations et l'évolution nous a amené à le transformer en papier et en cellulose,… L'arbre a tout donné à l'homme et sans qu'il le sache, l'arbre est son meilleur ami. Dans l'état actuel de la planète, avec ses déséquilibres climatiques, la plantation d'arbres sauvera l'homme. La plantation d'arbres nous protégera des gaz à effet de serre, des excès du climat; la vie nous sera plus douce et le paysage féerique.

Les arbres et arbustes forment l'armature du paysage.

‹‹‹ Les grands arbres forment un écran ou se réfléchit la scène verdoyante. *(Photo prise à la Ferme Florale, Saint-Bruno.)*

Quand on regarde le Mont St-Bruno de loin, la ville se fond dans la forêt. Plusieurs milliers de gens vivent en harmonie sous les grands arbres, au pied de cette colline Montérégienne. Grâce à la vision des premiers Montarvillois, les arbres jouent un rôle primordial dans cette agglomération urbaine ; encore aujourd'hui la municipalité plante 1 ou 2 beaux arbres par nouvelle habitation. La climat y est doux et l'air pur. Les jours coulent heureux. Les gens sont à l'abri des grands vents d'automne et ressentent moins le facteur éolien. En hiver, la neige s'accumule, le sol gèle moins profondément. En été, les grands arbres créent une température favorable et réduisent l'évaporation de l'eau. Certains gazons restent verts sans arrosage.

La neige s'accumule, le sol gèle moins profondément.

Les arbres guident le regard et les courants d'énergie.

Quand on regarde le Mont St-Bruno de loin, la ville se fond dans la forêt.

LE CHANGEMENT CLIMATIQUE MODERNE GLOBAL[1]

Les changements climatiques modernes sont dominés par les influences humaines, ils sont maintenant tellement grands qu'ils dépassent les limites des variations naturelles. La principale cause du changement climatique global est une modification de la composition de l'atmosphère provoquée par l'homme. Ces perturbations proviennent premièrement des émissions liées à la consommation d'énergie. Cependant l'urbanisation et l'utilisation du sol sont aussi des facteurs importants à l'échelle locale et régionale. (...)

Il y a beaucoup d'incertitude à propos du niveau de changement auquel nous pouvons nous attendre, mais il est clair que ces changements vont se manifester de façon de plus en plus importante et tangible, comme des changements dans les extrêmes de température et de précipitations, des diminutions saisonnières et permanentes des couvertures de neige et de glace et une élévation du niveau de la mer. Ces changements climatiques causés par l'homme vont vraisemblablement continuer pendant plusieurs siècles. Nous nous aventurons dans l'inconnu avec le climat et nous pourrions être assez perturbés par les impacts qui y sont associés.[1]

PLANTONS UN ARBRE PAR ANNÉE !

Qu'avons nous fait des arbres et de l'eau, les deux poumons de notre planète ? Nous avons abattu les forêts et pollué les mers…

Depuis 150 ans, nous brûlons du charbon et du pétrole en grande quantité pour combler nos besoins en énergie. Depuis longtemps nous coupons les forêts et nous avons aussi vidé ce qu'on nomme aujourd'hui des puits de carbone. Ainsi, nous avons presque doublé la quantité de carbone et autres gaz dans l'air. De cette façon nous avons créé un effet de serre et des changements climatiques qui dépassent les variations normales.

Les algues des mers et les arbres des forêts sont des puits de carbone et en retiennent d'immenses quantités lors de leur pousse annuelle. Le problème est que depuis l'ère industrielle nous produisons plus de gaz que la nature en retire de l'air. De deux choses l'une, il nous faut diminuer les émissions de gaz à effet de serre et retirer du gaz carbonique de l'air en replantant des arbres sur les sols inoccupés.

[1]Karl, Thomas R., Trenberth, Kevin E. *Modern Global Climate Change*, Science 2003 302 : 1719-1723

Les chercheurs ont calculé les quantités de gaz fixées par les forêts et les émissions de gaz carbonique après la coupe du bois. Il ne faudrait pas refaire l'erreur d'abattre des forêts naturelles pour les replanter avec de nouvelles essences sous prétexte que cela fixe plus de carbone. La communauté scientifique s'entend maintenant pour affirmer que la plantation d'arbres sur des terres inoccupées contribue à retirer de l'atmosphère des quantités importantes de gaz carbonique.

Le «Department of Natural Resources» de l'état du Wisconsin a développé une méthode pour calculer la séquestration du carbone par les arbres. Ainsi, nous savons qu'un bouleau ou un érable de 42 ans, retire de l'air et enferme dans son bois et ses feuilles environ 55 livres de carbone. Cela fait 90 kg (200 livres) de gaz carbonique (CO_2) par année. À 75 ans, ces arbres séquestrent 180 kg (400 livres) de gaz carbonique par leur croissance annuelle.

Parallèlement, les chercheurs d'Environnement Canada ont calculé que chaque canadien produit en moyenne 5,5 tonnes de gaz à effet de serre par année pour ses activités journalières comme le chauffage, l'automobile et l'électricité.

Si nous recoupons ces deux recherches, il faudrait donc environ 61 arbres matures pour éponger la production de gaz carbonique, le principal gaz à effet de serre produit par et pour chacun de nous. (5500 kg de gaz produit par année ÷ 90 kg de gaz absorbé par arbre mature = 61 arbres).

Donc, pour ralentir les changements climatiques, stopper la dégradation du climat, chacun de nous est responsable d'au moins 61 arbres. Vu que notre espérance de vie est environ de 72 ans, si à partir de 11 ans, à la fin de l'école primaire, nous plantons un arbre à chaque année de notre vie, nous contribuerons à un environnement de qualité pour notre planète, la terre. Notre quota personnel de plantation pour la vie est donc 61 grands arbres. Contribuons au bonheur de l'humanité. Sauvons-nous, sauvons aussi notre planète et plantons un arbre à chaque année !

Plantons un arbre par année !

L'ARBRE : UN HABITAT POUR LES OISEAUX

Grâce aux oiseaux qu'on attire, notre environnement devient plus sain. Une mangeoire et de l'eau, voilà tout ce qu'il faut. Vos arbres vont les protéger, vos fruitiers indigènes les régaler.

Lors d'un récent voyage de camping sur la Basse-Côte-Nord du Québec, j'ai pu constater qu' Havre-St-Pierre était le seul endroit où les insectes de tout acabit ne nous dévoraient pas. Un peu partout volaient des oiseaux multicolores. J'ai cherché, j'ai regardé, j'ai vu beaucoup de maisons avec des mangeoires et des cabanes d'oiseaux. Un grand ornithologue était passé par là, il avait transmis ses connaissances. Les gens de Havre-St-Pierre avaient compris.

Dans les Laurentides, des communautés de villégiateurs profitent pleinement de leur saison sans insectes, sans s'empoisonner ! Ils ont créé des habitats pour les oiseaux et des cabanes pour les chauves-souris.

Les oiseaux sont les «plus» meilleurs amis du jardinier : ils aiment tellement les insectes qu'ils peuvent, en bande, endiguer une épidémie. Certains oiseaux mangent leur poids en insectes à chaque jour. Même l'hiver, des couples de mésanges et de pics patrouillent les arbres à la recherche de larves hivernant sous l'écorce. Chaque couple, habitant un verger, contrôle ainsi 40 arbres fruitiers.

Les arbres sont l'habitat des oiseaux. Ils y trouvent nourriture et abri. Entretenons bien nos conifères : épinettes, cèdres et genévriers car ils leur offrent une grande protection contre le vent et le froid. Plantons des arbustes à fruits indigènes, comme l'amélanchier du Canada, le cerisier de Virginie ou cerisier à grappes, l'aubépine ou senellier, le sorbier d'Amérique, le sureau du Canada, la viorne trilobée ou pimbina, etc. Les oisillons se régaleront des fruits en saison.

L'Association québécoise des groupes d'ornithologues (AQGO) regroupe les clubs et sociétés d'observateurs d'oiseaux. Tel. : 514-868-3074. Visitez son site Web : www.aqgo.qc.ca

〉〉 J'ouis le bruissement des feuilles de saule dans la
brise d'été. *(Photo prise à la Maison Saint-Gabriel)*

LES OISEAUX

LES OISEAUX

Quel plaisir, les oiseaux dans ma cour.
Quel chant ce cardinal!
Quel coloris ce colibri!
Quel vol cette hirondelle!

Quel plaisir de veiller sur le carré,
Par un beau soir d'été
Sans être importuné
Par les maringouins affamés.

Les volatiles qu'on attire
À tire d'ailes, d'insectes s'embecquent!

LES BRISE-VENTS

L'arbre n'est plus l'ennemi à abattre, les indiens ne s'y cachent plus… La plantation de haies de grands arbres peut créer un habitat confortable et protéger tout terrain, tantôt sis au bord de la mer, tantôt sur une plaine battue par des grands vents. Les routes bordées d'arbres sont plus praticables en hiver. Le Ministère des transports l'a compris et il a planté de très beaux ouvrages de brise-vents le long de l'Autoroute 20 à l'est de Québec.

Les haies de grands arbres créent un habitat confortable.

Les brise-vents efficaces sont plantés de grands arbres intercalés de petits arbres et d'arbustes pour remplir les vides. On choisit de préférence des arbres rustiques indigènes comme ceux des forêts avoisinantes. Pendant la période d'établissement du brise-vent, les arbustes, les arbres à fruits sauvages et les buissons de petits fruits offrent une protection aux grands arbres et détournent les grands vents vers le haut. À cette fin, les plus petits arbustes sont plantés en première rangée au devant, face au vent dominant, ensuite viennent les arbustes de taille moyenne et les arbres plus en plus grands. Les petits qui garnissent le bas de la haie, servent ensuite d'habitat à la faune.

Le brise-vent réduit la vitesse du vent de 30% à 50%, et freine ainsi l'érosion éolienne.

Moins de vent, moins d'évaporation, moins d'eau perdue au sol et moins d'arrosage.

Le vent ralentit à l'abri des arbres, l'air a le temps de se réchauffer de 1 à 4°C de plus qu'au grand vent; le sol abrité aussi devient plus chaud. Les jardins protégés du vent donnent 10% à 20% de plus de légumes.

« LIVING WALLS » LES MURS VIVANTS

Les murs vivants, ce sont des haies mitoyennes qui séparent deux terrains ou une bordure d'arbustes autour d'un terrain. Les cèdres font de très élégants murs vivants. La haie de saules blancs à crois-sance rapide devient populaire; elle est parfois tressée en forme de clôture ou montée en mur antibruit. Le mur vivant s'intègre au paysage, il contribue davantage à la beauté des lieux que la clôture de métal ou de plastique. Bien plantée et bien fertilisée la haie pousse rapidement; comme cela, la cour devient privée et plus intime.

La haie de cèdres est sans doute le mur vivant, mitoyen, le plus po-pulaire. Elle se taille de la hauteur et de la forme voulue. Elle reste toujours verte. Plusieurs autres arbustes font aussi de belles haies, regardons dans le voisinage, dans les livres ou demandons conseil aux meilleurs paysagistes.

La haie de cèdres est le mur vivant, mitoyen, le plus populaire.

Aujourd'hui, nous trouvons de belles clôtures vivantes, à croissance rapide, faites de branches de saule blanc, plantées à 45 degrés dans le sol, qui s'entrecroisent élégamment et solidement.

Clôture vivante de saules blancs, plantés à 45 degrés.

Une haie de grands arbres ceinture nos terrains, nous protège ainsi de la rue et de la pollution des chemins publics. Cependant les végétaux seuls n'arrêtent pas le bruit. On érige souvent de longs murs et des talus antibruit le long des routes.

Des allemands ingénieux ont développé un mur vivant, antibruit, fait de deux rangées de saules, plantées parallèlement, à 1 mètre (3 pi) de distance et retenues par une armature de bois. Les saules vivants forment les 2 côtés d'une longue caisse de 2 mètres (6 pi) de hauteur par 1 mètre (3 pi) de largeur, par la longueur voulue. La caisse est doublée d'une géotextile et remplie de terreau. Les tiges de saule font des racines dans le sol et dans le mur. La deuxième année, le mur du son atteint déjà 3 à 4 mètres de hauteur. Ce mur plein de 2 mètres (6 pi) de hauteur arrête le son et les grands saules absorbent le bruit. On peut voir ce mur végétalisé en face de la Ferme Florale à Saint-Bruno.

Un mur antibruit, vivant, de 2 ans.

ENTRETIEN ÉCOLOGIQUE DES ARBRES

Quelques principes de base pour l'entretien des arbres

▷ **Ne coupons pas les arbres,** exceptés les arbres malades, trop vieux ou devenus une source de danger pour les gens et les habitations. Essayons de les sauver, par tous les moyens à notre disposition : fertilisation, amendements, compagnonnage,… Si jamais nous devons couper un arbre, replantons-en un autre,

Regardons les haies dans le voisinage.

puisque la terre manque d'arbres. Tel qu'expliqué précédemment, les arbres fixent le gaz carbonique, purifient l'air et contribuent à sauver la planète ! Pour un arbre coupé, deux arbres à planter, celui que vous avez coupé et celui de votre quota annuel : PLANTONS UN ARBRE PAR ANNÉE.

▷ **Ne taillons pas les arbres sans raison,** ne leur donnons pas de stress inutile. Choisissez les arbres selon l'espace disponible, imaginez-les dans quelques années. Laissons-les pousser naturellement, ils deviennent plus beaux.

▷ **Épandons tous les engrais avec azote (N) avant la fin de juin.** À l'été et à l'automne, la croissance des arbres est terminée et ils se préparent lentement pour survivre à un rude hiver. Les engrais azotés qu'on épand au pied des arbres, en été et en automne, même les engrais à gazon, affectent l'aoûtement des bourgeons (scellement pour l'hiver) et risquent de provoquer une forte mortalité hivernale. Cette pratique peut causer une croissance excessive du bois le printemps suivant au détriment de la qualité du fruit. Les populations de tétranyques sont aussi favorisées par cette vigueur, due au taux d'azote élevé.

Laissons-les pousser naturellement, ils deviennent plus beaux.

Toute application d'engrais azoté à gazon, de compost pour les plates-bandes, au pied de l'arbre, dans le même périmètre que ses branches, est absorbée par ses racines. Les engrais contiennent presque tous de l'azote (N) (le premier chiffre sur le sac). J'ai vu des pommiers et des vignes matures fertilisés par les 4 traitements du gazon (dont 2 après le mois de juin) qui ne donnaient aucun fruit depuis des années. J'ai vu des magnolias qui ne fleurissaient presque pas… Après une première année de fertilisation biologique au printemps, tout est rentré dans l'ordre : les arbres se sont chargés de fruits ou de fleurs.

travers leurs déjections, vont faire proliférer certaines bactéries dont se nourriront les protozoaires, qui sont le plat préféré des vers de terre. L'effet des BRF peut durer de 3 à 5 ans sans autre apport de matières organiques. En culture intensive de fruits et de sapins, on peut en appliquer à chaque année. (Voir : Annexe III).

LA TAILLE DES ARBRES

En principe, on ne taille pas les grands arbres pour rien. La forme naturelle de l'espèce est ce qu'il y a de plus beau et de plus harmonieux. Les plus beaux arbres ne sont pas taillés, ni déformés. Une visite au grand arboretum du Jardin botanique de Montréal ou à celui de votre région vous convaincra. Vous y verrez l'arbre de vos rêves à maturité.

Une plate bande aménagée sous un mélèze.

Taillez le jeune arbre à la plantation pour orienter sa croissance ou réparer les dégâts du transport. Ensuite laissez-le pousser tranquillement.

Coupez les branches mortes et malades à n'importe quelle période de l'année ; ne vous gênez pas. Vous pouvez aussi dégager les branches du bas de vos arbres afin d'y circuler ou d'y aménager des plates bandes. Nous recommandons de faire cette taille souvent jusqu'à la hauteur de 3 m (9 à 10 pi), pendant la période de repos de l'arbre (automne et hiver). Donc, taillez le dessous de votre arbre, quand vous manquez d'espace ; c'est mieux que de le couper. Regardez bien, la plupart des arbres des villes : ils sont dégagés en dessous.

Conifères taillés avec moignon.

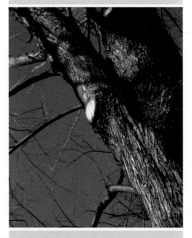

Taille nette des feuillus.

pommier 2 ans, 4 charpentières.

La taille des conifères: ne vous trompez pas, lorsque vous pratiquez la taille de dégagement ou l'ébranchage des conifères, laissez un moignon de 1 à 2 cm ($^1/_2$ à 1 po) qui va s'emplir de gomme et se cicatriser sans perte de sève.

La taille des feuillus: au contraire, taillez les branches des feuillus net, au bord du tronc, la plaie sèche et se cicatrise. Ne laissons pas de moignon ou de chicot, sinon le bois va pourrir et la pourriture se transportera jusqu'au cœur de l'arbre en suivant les fibres du bois. C'est la plus sûre façon de tuer un arbre!

LA TAILLE DES ARBRES FRUITIERS (DE TYPE POMMIER)

Je pratique la taille de type pommier sur les arbres fruitiers: pommiers, cerisiers, poiriers, etc... Je la pratique aussi sur les arbustes décoratifs qui leur ressemblent: prunier pourpre, amélanchiers, pommetiers décoratifs, etc.

Je décris ici la taille minimale pour donner une forme et de la solidité à mes arbres. Pour en savoir plus, je vous conseille de suivre un cours de taille d'arbres fruitiers, d'apprendre la taille avec votre paysagiste, de consulter les bons livres sur la taille des arbres. Les 3 sortes de taille que je pratique, selon le but poursuivit, sont:

  ▷ **taille de Plantation,** 1ère année, rabattre un tiers de la tige centrale et enlever les branches basses et les branches inutiles à la forme future de notre arbre.

  ▷ **taille de formation,** 2e année, choisir l'axe central, tailler (la flèche), choisir les 3 branches charpentières, enlever les fourches à angle fermé, poser des écarteurs.

⟨⟨⟨
Avant la taille.

⟩⟩⟩
Choisir l'axe
central, poser
un écarteur sur
la charpentière
et supprimer
les gourmands.

⟨⟨⟨
Avant la taille.

⟩⟩⟩
Tailler la
fourche à
angle fermé.

▷ **taille de fructification** : elle a pour but de faire croître les branches descendantes, supprimer les gourmands verticaux, et les drageons, et faire l'aération selon la forme pyramidale. La tendance naturelle d'un arbre est de faire du bois une année et des fruits l'année suivante sur ce nouveau bois. Donc, un autre but de la taille est d'obtenir une récolte de fruits à chaque année, en contrôlant la quantité de nouveau bois. Attention à ne pas couper trop sévèrement et de ne pas tailler plus de $\frac{1}{3}$ des branches. Répartissez une taille importante sur 3 ans.

Une autre erreur fréquente des jardiniers amateurs est de tailler leurs arbres fruitiers eux-mêmes, sans but ; de les tailler pour rien, juste pour les tailler. J'ai même vu des gens étêter leurs pommiers. Il est préférable de s'informer auprès des spécialistes, si on a des doutes sur la façon de tailler.

Le printemps est l'époque idéale pour la taille, juste avant le gonflement des bourgeons. Les pomiculteurs commencent à tailler en hiver pour pouvoir terminer avant le gonflement des bourgeons.

TAILLE DES ARBUSTES

Les arbustes donnent une forme au paysage, nous les taillons pour diriger leur croissance et préserver leur forme naturelle.

Plusieurs arbustes décoratifs se taillent comme les pommiers : arbuste rouge, l'amélanchier, le pommetier décoratif, etc.

Pour d'autres, c'est la taille de rabattage au printemps : spirées, potentilles. Les clématites sont rabattues à 60 cm (2 pi) en novembre ou à la fin de l'hiver.

La taille des arbustes à floraison printanière consiste à enlever les fleurs lorsqu'elles commencent à faner : lilas, azalées, rhododendrons.

La taille des conifères, cèdres, pins, etc. se limite à maîtriser la croissance des nouvelles pousses et à préserver leur forme naturelle, au début de la saison.

‹‹‹ Une clématite de Jackmann.
Elle fleurit de juillet à octobre.

Les genévriers font exception et ne se taillent pas comme les autres conifères. Chaque coupe doit être justifiée et faites jusqu'à une branche latérale. En principe, on ne taille pas les genévriers on choisit plutôt la variété selon l'espace disponible.

Les haies de cèdres sont tondues 1 ou 2 fois pendant la période de croissance. Ne pas enlever plus de la moitié du bois de l'année. Donnez la forme d'un mur avec la base plus large que le sommet.

Préservez la forme naturelle des pins mugo.

Les genévriers. On choisit la variété selon l'espace disponible,

Les haies de cèdres. Donnez la forme d'un mur.

AMENDEMENT ET FERTILISATION

ARBRES DANS UN GAZON FERTILISÉ

Les engrais à gazon sont amplement suffisants pour fertiliser les arbres qui croissent dans la pelouse. Donc ne mettez pas d'autres engrais (Voir: Le gazon, fertilisation page 27).

Attention à mettre tout l'engrais au printemps, avant la fin de juin. Les engrais organiques (à libération prolongée) sont bien adaptés à la fertilisation des arbres. La farine de plumes libère presque tout son azote en 5 à 6 mois, elle est bien adaptée au programme « 1 fois l'an » ou tout l'engrais, de toute la saison est appliqué en même temps au printemps. (Voir: Annexe I).

Souvent, la quantité des engrais à gazon appliquée, dépasse les besoins des arbres et leur fournit trop d'azote (N). L'application de 4 traitements d'engrais sur le gazon et aux pieds des arbres est excessif: les deux derniers traitements nuisent aux arbres. Il faut absolument cesser les engrais d'été et d'automne sur vos arbres, cela affecte l'aoûtement des bourgeons (scellement pour l'hiver) et peut causer un excès de croissance en période de dormance; que ce soient des engrais naturels ou chimiques. Il est fréquent que les pommiers ne donnent plus de pommes et soient sujets à des attaques d'acariens, que les bouleaux soient attaqués par la mineuse, etc. (Voir: Cas pratiques page 168). Pratiquez la fertilisation biologique du gazon, décrite ci-dessus, au printemps, avec des engrais organiques à libération prolongée, et tout va rentrer dans l'ordre.

LE BASALTE, POUR VOS ARBRES

L'application de poudre de roche de basalte ravive les vieux arbres et prévient les problèmes causés par les pluies acides et le smog.

Le basalte contient 59 % de silice, cet amendement augmente la résistance aux maladies fongiques, aux attaques d'insectes, au jaunissement du feuillage.

Exceptionnellement riche en Fer (8%) et en Magnésium (5%), il prévient les attaques d'acariens des arbres fruitiers.

Le basalte reminéralise le sol, apporte du K, Mg, Ca, Fe et 20 oligo-éléments essentiels. (Voir : Annexe II).

En poudre fine sa réaction est rapide et crée une explosion des populations de micro-organismes. Sa décomposition imite les processus de formation du sol ; les minéraux se libèrent progressivement toute la saison. Aucun danger de surfertiliser car cette poudre ne brûle pas.

Le basalte ravive les grandes épinettes.

> **RECOMMANDATION**
>
> Sur un terrain paysagé nous épandons généralement 10 kg par 100 m^2 (1000 pi^2).
>
> Nous l'appliquons sous toutes les espèces d'arbres, fruitiers, feuillus et conifères, en surface, jusqu'à la circonférence des branches. Les quantités sont de 1 kg par 2 cm (1 po) de tronc, par exemple un pommier de 2 cm (1 po) : 1 kg, un érable de 10 cm (3 po) : 3 kg, un pin de 20 cm (6 po) : 6 kg.
>
> Sous les haies de cèdres, on épand 10 à 12 kg pour 30 m (100 pi) de longueur de haie.
>
> Pour les forêts nous épandons 500 kg par ha (500 livres par acre).

LE COMPOST

L'application de compost au pied des arbres est totalement bénéfique, à condition d'être faite au printemps. Le compost est l'aliment naturel de l'arbre : il apporte de l'engrais, des bactéries bénéfiques, des oligo–éléments, etc. Meilleur est le compost, meilleure sera la réaction de l'arbre. Le compost de fumier de bovins est le meilleur pour les arbres fruitiers.[3] Une application de 0,5 cm (^{1}/4 po) (35 t/ha) de compost, au printemps, va faire croître et donner la santé à tout arbre.

Le tableau qui suit donne les quantités de compost pour appliquer une épaisseur de 0,5 cm ou ^{1}/4 po à un arbre dont les branches font de 8 m (25 pi) de diamètre et à un autre de 4,5 m (15 pi) de diamètre.

QUANTITÉ DE COMPOST PAR ARBRE, POUR UNE ÉPAISSEUR DE 0,5 CM OU ^{1}/4 PO

DIAMÈTRE DES BRANCHES	SUPERFICIE	VOLUME DU COMPOST	POIDS DU COMPOST
8 m (25 pi)	100 m^2 (1000 pi^2)	0,6 m^3 (^{3}/4 verge^3)	350 kg (0,4 tonne)
4,5 m (15 pi)	30 m^2 (300 pi^2)	200 l (7 pi^3)	100 kg (220 livres)

[3]KOEPH, H et al., *Bio-Dynamic Agriculture*, 1976 p. 341.

FERTILISATION DES POMMIERS, ARBRES FRUITIERS, ARBRES ET ARBUSTES

1ère façon : engrais naturels du commerce

Fertilisation avec des engrais naturels du commerce une application au printemps (engrais organiques à libération prolongée) et amendement de basalte :

- ► Engrais organique (4-3-6) ou (4-4-7)*   10 kg par 100 m² (1000 pi²) et
  (fait de plumes, os Fossile et Sul-Po-Mag)
- ► Basalte (BIO-ROCHE)   10 kg par 100 m² (1000 pi²)
  (Voir : Le basalte ci-dessus)

Exemples d'engrais complets du commerce à base de farine de plumes :
- ► Engrais BIO-JARDIN (4-4-7) ou (4-3-6)   = 10 kg/100 m² printemps
- ► Engrais BIO-GAZON (8-3-3)   = 5 kg/100 m² printemps

Vous pouvez aussi faire votre formule vous-même (N-P-K) :

(N) Sources d'azote :
- ► Farine de plumes, farine de sang, farine de poisson = 5 kg/100 m² au printemps

(P_2O_5) Sources de phosphate :
- ► Os Fossile (phosphate naturel)   = 10 kg/100 m² ou
- ► Poudre d'os   = 10 kg/100 m²

(K_2O) Sources de potasse :
- ► Sulfate de potassium (0-0-50)   = 2 kg/100 m² ou
- ► Cendres de bois   = 10 kg/100 m²

* La recommandation moyenne est 1 lb (0,45 kg) de N, de P_2O_5 et de K_2O par 100 m² (1000 pi²).

2e façon : avec compost et Os Fossile (Voir : Le compost ci-contre)

- ► Compost, nous recommandons une application au printemps de :
  0,5 cm ou ¼ po d'épais, équivalent à 35 t/ha.
  ou un volume de   0,6 m³ (¾ verge³)   par 100 m² (1000 pi²) ou
                        60 dm³ (2 pi³)   par 10 m² (100 pi²)

et
- ► Os Fossile (phosphate minéral naturel) ou poudre d'os
            10 kg par 100 m² (1000 pi²) ou
            1 kg par 10 m² (100 pi²)

3e façon : le mulch de bois raméaux fragmentés (BRF) et le basalte
(Voir : Les BRF ci-avant et Annexe III).

- ► Bois raméaux fragmentés, recommandation maximale annuelle, en automne :
  une application annuelle ou bisannuelle de 2,5 cm ou 1 po d'épais (15 t/ha)
  un volume de 2,5 m³ (3 verge³) par   100 m² (1000 pi²), jamais plus.
  un volume de 0,75 m³ (1 verge³) par   33 m² (330 pi²), jamais plus.

et
- ► Basalte, poudre de roche, amendement : 10 kg par 1000 pi² (100 m²) ou
  (Voir : Le basalte, ci-dessus et Annexe II) 1 kg par 100 pi² (10 m²)

FERTILISATION DES HAIES DE CÈDRES

Les cèdres sont les seuls arbres qui croissent extrêmement bien avec du fumier frais en surface. En effet, toutes les autres plantes préfèrent le compost de fumier. Dans la nature, on retrouve toujours les cédrières dans les terrains bas, gorgés d'eau une bonne partie de l'année. Justement, ils tirent du sol une abondante quantité d'eau, plus que tout autre arbre ; la haie de cèdres assèche les sols froids et humides. On s'en sert pour absorber l'eau et les polluants des champs d'épuration ; ils y croissent rapidement et deviennent gigantesques. Par contre, si vous habitez des terres sablonneuses, vos cèdres ont besoin d'être fréquemment arrosés, surtout pendant la sécheresse. (Voir : Cas pratiques page 168).

La haie de cèdres assèche les sols froids et humides.

RECOMMANDATIONS

1ère façon : le mulch de fumier frais ou séché et le basalte

> Application annuelle, au printemps, sous les branches, d'un mulch de fumier frais ou séché, de n'importe quel animal, le plus riche possible : lapin, poulet, porc, bovin, etc.

Épaisseur de 4 à 8 cm (1,5 à 3 po) et plus ou

Volume de 0,75 à 1,5 m^3 (1 à 2 verges^3) par 30 m (100 pi) de longueur de haie.

Recouvrez de mousse de sphaigne pour absorber les odeurs et garder le mulch humide (la sphaigne absorbe 10 fois son poids en eau).

et

> Le basalte, poudre de roche, exceptionnellement riche en fer 8 %, magnésium 5 % et en aluminium 17 % tous des éléments qui rendent les cèdres plus verts.

Basalte, poudre de roche   10 kg par 30 m (100 pi) de haie

2e façon : l'engrais organique à gazon et le basalte

Le printemps seulement, engrais organique (à libération prolongée)
> Engrais organique à gazon (8-3-3) ou (9-2-2) 10 kg par 30 m (100 pi) de haie
(le premier chiffre (N) plus élevé)

et

> Basalte (BIO-ROCHE)   10 kg par 30 m (100 pi) de haie

(Voir : Le basalte ci-avant)

FERTILISATION DES RHODODENDRONS ET DES ACIDOPHILES

Les rhododendrons et les acidophiles aiment croître dans un sol acide.

RECOMMANDATION

« Mulchez » à chaque année avec des aiguilles de pin, de la mousse de sphaigne (tourbe), du marc de café (le marc de café éloigne aussi certains petits animaux), etc.

Fertilisez avec un engrais organique à gazon (riche en protéines) (8-3-3) ou (9-2-2).

PLANTATION

Choisissez vos arbres et arbustes selon un plan prédéterminé. Au besoin, le paysagiste planifie pour vous le choix judicieux des plantes et l'architecture du jardin, il vous donnera une foule de conseils pour l'harmonie des formes et des couleurs. Commencez par les plus grandes plantes comme les arbres et ensuite les arbustes. Imaginez les arbres à maturité, évitez de choisir des espèces d'arbres trop grands pour votre jardin, même si vous les préférez.

Commencez par l'arrière plan. Créez un écran d'arbres de grandeur moyenne qui va abriter votre terrain et donner de l'intimité à la partie privée de votre propriété. Le jardin d'en avant, la partie publique du lieu, met votre foyer en valeur. Ne cachez pas la maison derrière les arbres. Du chemin, votre jardin projette déjà une image à vos visiteurs. Une entrée accueillante et harmonieuse en dit long. Une entrée bloquée par un arbre devrait être repensée.

Plantez des variétés bien adaptées au climat, des végétaux rustiques, de votre zone climatique. Certaines plantes aiment le plein soleil, d'autres l'ombre des bâtiments et des grands arbres. Tous les végétaux aiment les bonnes terres à jardin (le loam sableux) et la terre franche (le loam). (Voir : Le potager, Connaître le sol… page 67). Certains arbres vont réagir au type de sol de votre jardin et préfèrent un type de sol particulier : les pins aiment des sols sableux et pauvres, les cèdres aiment des sols bas et humides et au contraire, les pommiers aiment des sols profonds et surtout bien drainés.

Dates de plantation

▷ Arbres à racines nues : plantez pendant la dormance de l'arbre, avant le débourrement des bourgeons. (taillez le bout des racines pour les stimuler).

▷ Arbres en pot ou en godet : plantez n'importe quand pendant la saison, l'arbre sera plus vivant dans le sol que dans le pot.

Le trou de plantation

Nous recommandons toujours de faire le trou à 3 fois le diamètre de la boule de racines et 2 fois la hauteur du pot.

La vitesse de croissance de l'arbre est fonction de la qualité du sol où il est planté. Dans le trou de plantation, préparez un terreau qui va supporter une croissance rapide des racines et de l'arbre pendant 2 à 3 ans. Par la suite, le sol bien fertilisé aux engrais naturels fera le reste.

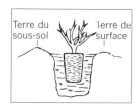

Le trou standard est le plus souvent de 60 cm (2 pi) de diamètre et creusé à 45 cm (1½ pi) de profondeur.

Trou de plantation.

RECETTE

Trou de 60 cm (2 pi) de diamètre X 45 cm (1½ pi) de profond = 250 litres :

▶ Mettez la terre de surface, plus foncée, environ 15 cm (6 po) de profond, d'un côté du trou. Creusez le reste du trou jusqu'à 1½ pi (45 cm). Séparez cette terre du sous-sol de celle de l'autre côté.

▶ Servez-vous du trou comme contenant et mélangez-y les ingrédients du terreau :

1) compost, 2) mousse de sphaigne et 3) terre de surface, à part égale et des amendements.

Donc, dans le trou de plantation, versez et mélangez :

   ▶ 2 X 33 litres de vrai compost mûr

   ▶ 80 litres de mousse de sphaigne (tourbe)

   ▶ 80 litres de terre de surface, mise d'un coté

et les amendements suivants :

   ▶ Os Fossile ou poudre d'os :   500 g

   ▶ chaux dolomitique ou cendre de bois :   1 kg

   ▶ basalte, poudre de roche :   2 kg

Ajoutez un peu d'eau pour humidifier la mousse de sphaigne et brassez.

Préparez un contenant avec de l'eau de pluie ou de l'eau aérée, enrichie avec 1 % d'engrais d'algues liquides et faites y tremper les pots d'arbres pendant quelques minutes pour réhumidifier la motte et praliner les racines. Les hormones de croissance et les oligo-éléments des algues vont stimuler la croissance des racines.

Plantez la motte de racines à la même profondeur qu'en pépinière. Tassez bien. Étendez la terre de sous-sol autour du trou, faites-en un ourlet pour retenir l'eau. Arrosez bien pour bien détremper tout le terreau.

Si le sol est trop mince, trop dense ou trop rocheux, plantez l'arbre, sur la terre et enterrez-le sous le terreau en forme de talus. Posez un tuteur.

Plantation de la haie de cèdres ou thuyas

Creusez une tranchée de 60 cm (2 pi) de large, par la hauteur des mottes de racines, environ 30 cm (1 pi). Placez les plants dans la tranchée et enterrez avec terreau décrit à la page précédente.

Recouvrez avec le mulch de fumier frais. (Voir: Fertilisation des haies de cèdres page 152)

PROTECTION DES ARBRES

À part des pommiers, les arbres plantés dans un sol vivant, enrichis aux engrais naturels, composts et amendements se soignent presque toujours par eux-mêmes. L'arbre malade nous donne un message, essayons de le décoder. Chaque sorte d'arbre a ses préférences culturales. Ne faisons plus d'erreur de fertilisation, la plus fréquente étant d'apporter des engrais azotés aux arbres, après le mois de juin.

Dans la nature chaque espèce ou famille d'arbre préfère un type de sol: léger ou lourd, riche ou pauvre, humide ou bien drainé, un bon ensoleillement ou de l'ombrage, un climat doux ou une zone climatique plus rigoureuse, un versant sud ou un versant nord,… La connaissance des préférences culturales de vos arbres est très utile quand vient le temps de faire votre choix à la pépinière ou d'entretenir vos arbres.

Une bonne lecture et un pépiniériste consciencieux vous aideront dans le choix des arbres bien adaptés. Parfois on n'a pas le choix et nous devons vivre avec les arbres, parfois très exotiques, qu'on nous a légués.

MOYENS DE LUTTE NATURELLE CONTRE CERTAINS INSECTES NUISIBLES AUX ARBRES[4]

▷ **La maladie hollandaise de l'orme** est causée par un champignon microscopique «Ophiostoma Ulmi» qui est transmise par un petit insecte de 2 à 3 cm, le scolyte. Il creuse des galeries dans l'orme pour se nourrir et hiberner. Plantez un sureau blanc (*sambucus*) au pied de l'orme, c'est un bon moyen de

---

[4]RUBIN, C, *Pelouses & jardins sans produits chimiques, pp. 79-83*. Éditions Broquet.

contrôle. En compagnonnage, les racines du sureau communiquent à l'orme, par osmose, l'élément purgatif. Les scolytes fuient les galeries creusées dans l'orme. Les arbres guérissent.

▷ **Les charançons** pondent leurs œufs dans l'écorce des arbres (lilas, troène, pin, épinette, if, le cèdre, la pruche) ou dans le sol où les nématodes prédateurs peuvent les contrôler.

▷ **Les arpenteuses et les fausses arpenteuses** se contrôlent avec une bande de colle à insecte «Tanglefoot» posée sur le tronc. (Voir : Protection du pommier, carpocapse page 162).

▷ **Les chenilles à tente** tissent de grosses toiles sur les cerisiers, pommiers et autres. Coupez et jetez la branche avec la tente ou brûlez la sur place avec une torche au propane. Le BT est efficace en cas d'épidémie.

▷ **Les mineuses** se creusent des galeries dans la feuille. Les bouleaux et les aulnes sont plus sensibles à ces insectes si on leur applique des engrais azotés hors saison. N'appliquez aucun engrais azoté, ni même du compost, aux arbres après le mois de juin.

▷ **Les perceurs de tige** vont attaquer les tissus gonflés par un excès d'azote. Donc fertilisez et appliquez le compost au printemps. Pour augmenter la résistance appliquez aussi du basalte.

▷ **Les cochenilles** s'attaquent à bien des arbres, mais ne les font pas mourir. La fertilisation naturelle, au printemps, renforcit tous les arbres.

▷ **Les acariens (tétranyques)**, ces petites araignées, comme des points rouges qui se déplacent sous les feuilles, causent des dommages, des genres de mouchetures, au feuillage. Ici aussi l'excès d'azote encourage leur prolifération. N'appliquez aucun azote après juin et faites l'épandage de basalte (5% de magnésium et 7% de fer) cela va contribuer à réduire les populations. Vous pouvez aussi introduire des prédateurs, en apportant au jardin quelques branches prélevées sur des arbres de la même famille, pris dans la nature ou dans un jardin écologique. (Voir : Protection du pommier, les tétranyques page 165).

PROTECTION DU POMMIER

Utilisez les engrais naturels et les bons amendements et vous augmentez la résistance du verger biologique. N'y pratiquez plus l'épandage d'insecticides puissants. Encouragez la lutte biologique, provenant des ennemis naturels et des prédateurs de toutes sortes : oiseaux, etc… Ajoutez-y quelques techniques de prévention en installant quelques pièges. La moitié de vos pommes seront bonnes à manger.

Niveaux de lutte : 3 niveaux de lutte contre les ennemis des pommes pour le verger non commercial :

1. lutte physique et biologique,
2. arrosage avec extraits de plantes,
3. arrosage avec les produits d'origine naturelle les moins nocifs.

Voyez comment, en zone urbaine, sans arrosage (autres que les purins de plantes) et avec de la prévention et des techniques de lutte physiques et biologiques nous pouvons consommer plus de la moitié de nos pommes. Pour les vergers pré-commerciaux, quelques arrosages avec des produits d'origine naturelle augmentent le rendement en fruits commercialisables.

Les pomiculteurs des vergers commerciaux peuvent trouver les autres méthodes alternatives, plus poussées, ainsi que celles décrites ici, dans Revue des alternatives à la lutte chimique en pomiculture, par Nature-Action.[5]

Ces méthodes sous-tendent que nous faisons de la prévention au maximum et laissons les pommiers s'habituer aux insectes et maladies qui vivent dans leur environnement. Nous protégeons les fruits plutôt que les arbres. Nous diminuons les envahisseurs par des pièges, renforcissons les arbres par des purins, de bons engrais

---

[5] É. SMEESTERS *et al.*, *Revue des alternatives à la lutte chimique en pomiculture, Principales techniques applicables au Québec*, Nature-Action, 2001.

à la bonne période et du basalte. Le verger devient un habitat pour les oiseaux qui feront le reste du travail. (Voir page 132).

L'application de pesticides est maintenant réglementée en milieu urbain. Soyons de bons citoyens, pensons à nos voisins, certains sont hypersensibles à ces produits toxiques. De longues lances et des jets puissants soufflent les pesticides jusque sous la plus haute branche des grands pommiers; la moindre brise peut les faire facilement dériver chez le voisin.

PRÉVENTION

La prévention est obligatoire, dans un verger écologique:

> ▷ taillez le pommier à chaque année, afin de permettre une bonne aération et un bon ensoleillement au centre de l'arbre;

> ▷ attirez les oiseaux et nourrissez les pics avec du suif (l'hiver);

> ▷ ramassez les pommes tombées, 1 fois par semaine;

> ▷ apportez des amendements minéraux: basalte, phosphate, chaux, cendres de bois. (Voir: Fertilisation page 151);

> ▷ fertilisation azotée (N): compost au printemps et engrais organiques – Épandez les engrais à gazon au printemps seulement «Une fois l'an» (avec farine de plumes);

> ▷ déchiquetez les feuilles tombées au sol, en fin de saison avec la tondeuse à gazon.

LA LUTTE CONTRE LES ENNEMIS DE LA POMME[6]

LA TAVELURE

La tavelure est la principale maladie fongique des pommiers au Québec. Le champignon hiverne sur les feuilles infectées tombées au sol. Les spores matures sont éjectées dans l'air lors des journées pluvieuses de mai et juin. Si la pluie et l'humidité durent plus qu'un certain nombre d'heures, les spores qui atteignent les feuilles germent et pénètrent les tissus. Des taches brun-olive affectent la surface des feuilles et des pommes. Quand l'infestation est sévère tout l'arbre est attaqué et les fruits sont non vendables.

Durant certains étés humides, la tavelure est incontrôlable avec des fongicides naturels au Québec, surtout avec les variétés de pommiers sensibles comme McIntosh, Melba, Lobo, Cortland, Spartan, Empire,...

Si vous le pouvez, faites comme les pomiculteurs, plantez des nouveaux cultivars de pommiers comme : Liberty, Moira, Belmac, etc.. Informez-vous auprès de votre pépiniériste. Cela réduit à zéro les infestations de tavelure.

LA LUTTE

1- L'élimination des feuilles d'automne tavelées est déterminante pour le contrôle de la première infection du champignon de la tavelure au prochain printemps. Ramassez toutes les feuilles, jetez-les ou compostez-les à chaud (Voir : Le potager, compost page 78). Je recommande de les hacher à la tondeuse avec le gazon et de les laisser se décomposer avec le mulch de gazon. C'est plus simple et efficace. (Voir : Le gazon, mulch page 23).

2- Au printemps, après chaque pluie, à partir du stade débourrement, vers le 1er mai, on arrose avec le purin de prêle et le purin d'orties. (Voir : Purins végétaux, Annexe IV). La fréquence est 6 à 12 traitements, jusqu'à la fin juin.

[6] É. SMEESTERS et al., Revue des alternatives à la lutte chimique en pomiculture, Principales techniques applicables au Québec, Nature-Action, 2001.

3- En verger pré-commecial, arrosez avec la bouillie bordelaise après chaque bonne pluie, (sulfate de cuivre et chaux hydratée) (6 à 12 traitements) du stade débourrement, vers le 1er mai, à la fin juin, c'est plus efficace. Attention au soleil, au temps froid et humide et à la période de floraison, le produit affecte les insectes.

HOPLOCAMPE DES POMMES

Petit insecte qui émerge du sol vers le stade du bouton rose, l'hoplocampe dépose ses œufs sur les fleurs. Les chenilles se nourrissent du fruit. Les fruits endommagés tombent avec les larves.

LA LUTTE

1- Ramassez les pommes tombées à chaque semaine ou utilisez un paillis de papier journal. Cette technique empêche les larves de rejoindre le sol pour aller terminer leur cycle vital. Les populations de nématodes prédateurs, présents dans le sol sont aussi grandement augmentées par l'usage des engrais naturels. Ils peuvent contrôler l'épidémie.

2- Suspendez 2 assiettes de plastique blanches, jetables, engluées de «tangletrap» à l'extrémité des branches de chaque pommier, au stade bouton rose, avant la fleur.

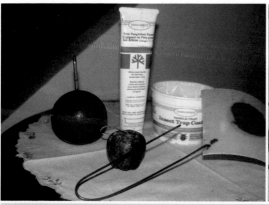

Colle à insectes et pommes pièges.

Pour piéger l'hoplocampe, suspendez des assiettes de plastique blanches, engluées à chaque pommier.

CARPOCAPSE DE LA POMME

L'insecte pond sur la feuille ou le fruit, peu après la floraison. La larve pénètre dans la pomme jusqu'au cœur en laissant ses excréments à l'entrée. Nourrie de pépins, la chenille sort du fruit et se dirige vers le sol pour la 2e génération.

LA LUTTE

1- Éliminez les pommiers et pommetiers non traités, si possible dans un rayon de 200 mètres.

2- Ramassez les pommes tombées toutes les semaines.

3- Attirez les oiseaux et nourrissez les pics avec du suif, car ceux-ci consomment une grande quantité de chenilles, hibernant dans les fentes de l'écorce.

4- Installez des bandes pièges sur le tronc, au début de juillet : une bande de 15 cm (6 po) en jute ou en carton ondulé, collée au tronc avec le « tangletrap ». Cette méthode permet de récupérer les chenilles qui descendent le long du tronc pour aller hiberner. À la fin d'octobre, détruisez la bande où les larves se sont logées.

5- Arrosez les pommiers avec de l'insecticide doux : de l'huile minérale (pour bébé) (Voir : Le potager, protection page 100), vers le 15 juin et répétez 15 jours plus tard, le 30 juin. Attention, il détruit aussi plusieurs autres insectes. Faites le même traitement à l'autre génération le 15 août et répétez le 1er septembre, s'il y a lieu.

CHARANÇON DE LA PRUNE

Les femelles du charançon pondent leurs œufs dans le fruit au stade nouaison. Les larves se nourrissent de la chair du fruit. Deux à trois semaines plus tard les larves vont s'enfouir dans le sol pour puper. Ici aussi, l'activité biologique du sol stimule la production d'ennemis naturels du charançon : des parasitoïdes, des prédateurs et des champignons. Ils pourraient contrôler l'épidémie.

LA LUTTE

1- Secouez l'arbre ou frappez-le mécaniquement, une fois par semaine à partir du stade calice (environ les 25 mai, 1er juin et 8 juin). Recueillez les insectes dans un drap blanc déposé sur le sol sous les branches.

2- Arrosez avec du purin d'orties, au stade calice (vers le 25 mai).

CHENILLES DE LA NOCTUELLE

La chenille cause des dégâts aux fruit à partir du stade bouton rose.

LA LUTTE

1- Attirez les oiseaux, surtout les mésanges. (Voir page 132).

2- Arrosez avec du BT, au stade calice (25 mai), si présence de chenilles.

CHENILLES DE LA TORDEUSE À BANDES OBLIQUES

Les chenilles hibernent sous l'écorce des pommiers et montent, après la floraison, se nourrir de bourgeons et de feuilles (dans lesquelles elles s'enroulent). Les papillons émergent et pondent des masses d'œufs sur le dessus des feuilles, en milieu de juin. Ici aussi, nous comptons sur l'activité des parasites naturels de la tordeuse dans le verger écologique.

LA LUTTE

1- Attirez un couple de mésanges et d'autres oiseaux avec des cabanes appropriées.

2- Arrosez avec le purin de tanaisie (Voir: Annexe IV) et/ou avec le B.t. – 3 applications répétées aux 7 jours, de la mi-juin à la fin juin, avant qu'elles tissent leur abri.

Mouche de la pomme

La mouche de la pomme hiberne sous forme de pupe dans le sol. Les adultes émergent à partir de la fin juin. Les femelles pondent leurs œufs dans la pomme en juillet et en août. Elles laissent des petits points rouges sur la pelure et des galeries de larves brunes dans la chair.

La lutte

1- Ramassez tous les fruits tombés, au moins à chaque semaine.

2- Posez des pièges englués de « Tangletrap » imitant une pomme rouge, 2 à 4 pièges par arbre, suspendus à la mi-hauteur du feuillage. Ce sont des sphères rouges du commerce ou des pommes en plastique du magasin à 1 $. D'après Stefan Sobkowiac, le plus efficace est un panneau plastique jaune, récupéré, qui imite le feuillage, avec un dessin de pomme rouge au centre. Ce panneau se lave rapidement au solvant à peinture quand vient le temps de le nettoyer. On les pose le 15 juin, avant l'arrivée des premiers adultes, cela permet de capturer environ 80 % des mouches de la pomme.

Le contrôle biologique se fait par les nombreux ennemis naturels de la mouche, les parasites du sol, oiseaux, criquets, araignées et fourmis présents en grand nombre dans le verger biologique.

La plus efficace pommepiège : panneau plastique jaune, dessin de pomme au centre.

Pomme-piège en bois.

Pomme-piège en plastique.

LES TÉTRANYQUES ROUGES ET LES TÉTRANYQUES À DEUX POINTS (LES ACARIENS)

Les tétranyques ou petites araignées rouges nuisent au pommier à tous les stades. Avec une loupe on les voit bouger sous les feuilles. Les infestations sont plus graves dans les vergers arrosés aux insecticides à large spectre d'action qui détruisent aussi leurs nombreux ennemis naturels. En culture écologique, nous n'utilisons pas ces insecticides. La fertilisation biologique maintient un bon approvisionnement en azote, sans excès, et l'épandage de basalte équilibre le fer et le magnésium. Leur usage réduit les populations d'acariens et augmente leurs ennemis naturels.

LA LUTTE

1– Taillez les branches infestées par les œufs.

2– Arrosez avec un jet d'eau sous pression, les feuilles infestées, pour déloger les acariens.

3– Introduisez des acariens prédateurs, à partir de branches de pommiers abandonnés en fleur ou de bois de taille d'été, provenant d'un verger biologique.

4– En verger pré-commercial, appliquez de l'huile minérale (Voir : Le potager, Protection page 100) pendant les 2 à 3 ans suivant une infestation ou pendant la reconversion de votre verger à la culture écologique. Le traitement à l'huile minérale est efficace à l'éclosion des œufs hivernants. Arrosez à l'huile minérale au stade bouton rose (15 mai) contre les tétranyques rouges et le 15 juin contre les tétranyques à deux points (en même temps que le carpocapse). Selon le pomiculteur Alain Désilets, après quelques années sans arrosage aux insecticides toxiques, les prédateurs naturels feront le travail, et cet arrosage ne sera plus nécessaire.

CÉDULE DE PROTECTION DES POMMIERS[7]

(Protection du pommier en résumé)

DATES /STADES	NIVEAU 1 LUTTE PHYSIQUE ET BIOLOGIQUE	
Du 1er mai Débourrement au 30 juin	Ramassez les pommes tombées 1 fois par semaine, jusqu'à la récolte.	
15 mai Bouton rose	Hoplocampe : 2 assiettes engluées par arbre.	
25 mai Calice	• Charançon de la prune. Frapper les arbres, les recueillir dans un drap blanc. • Introduire des acariens prédateurs avec bois de taille.	
1er juin	Charançons, frapper les ...	
8 juin	Charançons, frapper les ...	
15 juin	• Mouche de la pomme : poser les pommes pièges, 4 par arbre. • Tétranyques rouges : dépister, les arroser d'eau.	
23 juin		
30 juin	• Carpocapse : poser bande piège sur tronc • Tétranyques à 2 points : dépister, les arroser d'eau.	
15 août		
30 octobre	• Retirer les bandes pièges installées sur le tronc. • Déchiqueter les feuilles tombées à la tondeuse.	
1er décembre et tout l'hiver	• Nourrir les oiseaux, les pics avec du suif.	

PRÉVENTION

Taillez, attirez les oiseaux, engrais organiques au printemps et poudre de roche de basalte

NIVEAU 2 + ARROSAGES AUX EXTRAITS DE PLANTES	NIVEAU 3 + PRODUITS D'ORIGINE NATURELLE
Tavelure : 6-12 X Purin de prêle et Purin d'orties.	Tavelure : 6-12 X Bouillie bordelaise.
	Tétranyque rouge : huile minérale.
Charançon prune : purin d'orties.	Chenilles de la noctuelle : B.t.
Chenilles de la tordeuse à b. obliques : purin de tanaisie.	• Chenilles de la tordeuse à b. obliques : B.t. • Carpocapse et Tétranyque à 2 pts : huile minérale.
Chenilles de la tordeuse à b. obliques : purin de tanaisie. Chenilles de la tordeuse à b. obliques : purin de tanaisie	• Chenilles de la tordeuse à b. obliques : B.t.
	• Chenilles de la tordeuse à b. obliques : B.t. • Carpocapse : huile minérale.
	Carpocapse, 2e : huile minérale.

É. SMEESTERS et al., Revue des alternatives... en pomiculture, Principales techniques..., 2001

CAS PRATIQUES

RÉSOLUTION DE PROBLÈMES :

La haie de cèdres qui jaunit en hiver

Les cèdres préfèrent les terrains bas et humides. Donc une haie de cèdres qui croît au haut d'une butte ou dans une terre sableuse et sèche a besoin d'un bon mulch de fumier frais et de mousse de sphaigne. Arrosez-la fréquemment par temps sec, et quelquefois, jusque tard à l'automne. Certains hivers, suivant des automnes secs, le sol manque d'eau. Alors les cèdres jaunissent et brûlent au soleil et au vent d'hiver. Leurs feuilles mortes sont la proie d'insectes au printemps suivant. Les feuilles tombent avec les insectes. Appliquer un mulch de fumier, de sphaigne et de basalte. Certains cèdres plantés en sol humide ne jaunissent pas, ils ont suffisamment d'eau.

Les pins en sol riche

Les pins préfèrent les terrains pauvres et secs et donnent parfois des signes de stress (jaunissement et perte d'aiguilles) quand ils poussent dans une bonne terre franche, riche et trop bien fertilisée. Cessez alors la fertilisation et appliquez de la mousse de sphaigne ou du bois raméal (branches hachées).

Le vieil arbre qui en arrache

Surtout ne pas arracher ou couper tout de suite ce vieil ancêtre qu'on croît malade. Cessez d'y mettre toute forme d'engrais azoté après la fin juin. (Voir page 148) Lui mettre du basalte en poudre et épandre un mulch de 2,5 cm (1 po) de bois raméal fragmenté en automne ou du vrai compost au printemps (Voir : Fertilisation page 151). S'il ne reverdit pas, après un an de ces bons traitements, il faut continuer d'en chercher la cause. Les arbres bien soignés se protègent par eux-mêmes.

Les arbres fruitiers qui n'ont pas de fruits

Les arbres et arbustes fruitiers ont une tendance naturelle à faire des fruits une année et du bois l'autre année, donc de donner une bonne récolte à tous les 2 ans. S'ils ne donnent presque aucun fruit depuis des années, ils poussent probablement dans ou près d'un gazon fertilisé par les 4 traitements annuels (dont 2 après le mois de juin). L'azote qu'on épand en été et en automne au pied des arbres affecte l'aoûtement des bourgeons (scellement pour l'hiver) et provoque une forte mortalité hivernale des bourgeons. Cela explique aussi la croissance excessive du bois le printemps suivant, qui se fait au détriment de la qualité du fruit.

On pratique alors la fertilisation biologique du gazon, au printemps, avec des engrais organiques à libération prolongée (farine de plumes) et du basalte «une fois l'an» et tout va rentrer dans l'ordre : les arbres vont se charger de fruits. Attention, épandez tout le compost au printemps, si vos plates-bandes sont sous les arbres.

Pour leur part, les pommiers aiment les sols profonds, bien drainés, avec une nappe d'eau basse. Si l'eau stagne ou affleure la surface du sol quelquefois par année, la nappe d'eau est trop haute. Si votre pommier ne donne pas de pommes, il s'agit de le transplanter en terrain sec.

Les ormes malades
(Voir : Moyens de lutte…, La maladie hollandaise de l'orme page 156).

La culture écologique crée un sol plus vivant pour les arbres. Ces végétaux croissent pendant plusieurs années et réagissent bien aux engrais organiques et aux minéraux insolubles. Contre les ennemis des arbres, la méthode préconise des moyens de lutte culturaux, physiques, biologiques et des produits d'origine naturelle plus doux et moins drastiques. Adoptez la culture écologique et vivez avec des arbres en santé.

ANNEXE I

LA FARINE DE PLUMES

La farine de plumes, engrais organique à libération prolongée (6 mois)
Vitesse de minéralisation de la farine de plumes comparée au
fumier de poulet séché et au nitrate d'ammonium

QUANTITÉS D'AZOTE LIBÉRÉ TOUTES LES 2 SEMAINES

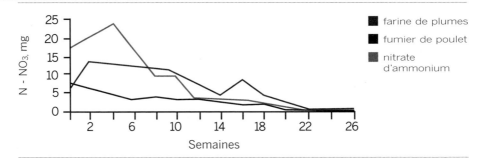

Note : Chacun des engrais est mélangé avec une même quantité de terre. L'azote organique donne, par voie microbienne, de l'azote nitrique NO_3, qui est lessivé de chaque échantillon. Le graphique montre les quantités d'azote libéré à tous les 2 semaines en mg d'azote nitrique NO_3.

QUANTITÉS D'AZOTE LIBÉRÉ PENDANT 6 MOIS

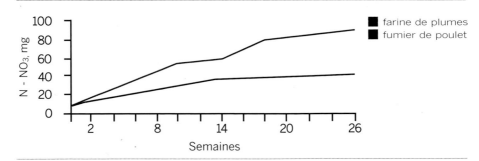

Vitesse de minéralisation de la farine de plumes comparée1 au fumier de poulet séché :

1- les quantités d'azote apporté (N) de chaque engrais sont 106 mg ;

2- la farinc de plume minéralise 90% de son azote pendant 6 mois ;

3- le fumier de poulet séché minéralise 41% de son azote pendant 6 mois.

LE BASALTE

La poudre de basalte, l'amendement naturel tout-usage par excellence. Le plus efficace des amendements de poudres de roche, commercialisée sous le nom de **Bio-Roche**. C'est une roche ignée, noire, basique, siliceuse, ayant une bonne teneur en potasse, calcium, magnésium, fer et des oligo-éléments : Ni, Cu, Zn, Mn. Elle est finement moulue (80 % passant le tamis 75 microns (μm) (200 mailles). Nous utilisons les poussières (tamis 75 microns) des carrières de nos collines montérégiennes (St-Bruno, St-Hilaire ou Bromont). Ces poudres de roche possèdent toutes les bonnes caractéristiques agricoles du basalte.

ANALYSE MINIMUM GARANTIE
(minerai du Mont St-Bruno)

SiO_2 Silice	58,6 %		Ni Nickel	61 ppm
K_2O Potasse totale	3,5 %		Cu Cuivre	56 ppm
Mg Magnésium	3 %		Zn Zinc	142 ppm
Ca Calcium	3 %		Mn Manganèse	1007 ppm
Fe Fer	5 %		S Soufre	5500 ppm

La poudre de roche, basalte, est une primeur au Québec. On l'utilise comme fertilisant depuis 1850 en Europe, surtout en Allemagne et en Autriche.

Les Américains et les Québécois ont découvert ses qualités plus récemment.

Le basalte reminéralise par ses 20 éléments essentiels. Il redonne au sol des éléments délavés par les pluies.

Il aide à la formation du complexe argilo-humique. La poudre fine se change en argile.

L'activité des bactéries se multiplie, les processus vivants sont accélérés.

La végétation change (en quelques jours) et prend la couleur verte (caractéristique de la fertilité).

Le basalte ajouté au compost accélère les réactions d'une semaine. Avec le basalte, c'est l'assurance d'un compost réussit.

Le basalte est sous forme de poudre fine (tamis 75 microns). Cette poudre est conditionnée en granules pour permettre les mélanges (complément d'engrais à gazon).

RECOMMANDATIONS annuelles	QUANTITÉS par superficies
Gazons	10 kg (granulé) par 100m^2 (1000 pi^2)
Potagers et plates-bandes	20 kg par 100m^2 (1000 pi^2)
Haies de cèdres	12 kg couvrent 30 m (100 pi) de haies
Arbres fruitiers, feuillus et conifères	1 kg par 2,5 cm (1 po) de tronc, 5 cm (2 po) = 2 kg, 15 cm (6 po) = 6 kg
Grandes cultures	300 kg/ha (rotation de 5 ans: 1500 kg/ha)
Forêts	500 kg par hectare (500 lbs/ac)
Élevage: dans le dalot	500g (1 lb) par jour, par vache
Élevage: sur litière	1 à 2 kg par 10m^2 par jour (3 lbs/ 100pi^2)
Compost, comme activateur	10-20 kg par m^3 (v^3) ou 2% du tas

LE BASALTE – AMENDEMENT MINÉRAL – 100% NATUREL

ORIGINE MINÉRALOGIQUE :
roche ignée, (métamorphique), intrusive, «trap rock», noire, à réaction basique, siliceuse, de type basalte.

QUALITÉS PHYSIQUES :

1– broyée finement: 80% passant le tamis 75 microns (μm) (200 mailles au pouce);

2– petites particules, rapidement altérées (grosseur du limon);

3– améliore la capacité de rétention de l'eau et des engrais des sols sableux;

4– aide à la formation d'argile dans les sols légers lentement transformé en argile de très haute qualité meilleur que les apports d'argile: minéraux délavés;

5– augmentation de la température de 2°C des sols lourds.

PROPRIÉTÉS CHIMIQUES :

1– reminéralise, apport de nouveaux minéraux (remplace ceux qui sont délavés) ;

2– les éléments fertilisants deviennent disponibles aux plantes par les mêmes procédés que ceux présents dans la roche-mère du sol ;

3– équilibré en cations : potassium (K_2O: 4%), magnésium (Mg: 3%) et calcium (Ca: 3%) ;

4– améliore la capacité d'échange cationique (CÉC) des sols ;

5– riche en fer (Fe: 5%) et en oligo-éléments : cuivre (Cu: 56 ppm), zinc (Zn: 142 ppm) et manganèse (Mn: 1007 ppm) ; tous essentiels dans la formation de la chlorophylle et jouant un rôle primordial dans la photosynthèse, dans les processus de nutrition et de reproduction des plantes ;

6– contient du soufre (S: 0,5%) essentiel à la formation des protéines ;

7– riche en silice (SiO_2: 58%), élément formateur de la plante ; les herbages (gazon) et les céréales en contiennent 10 fois plus que les légumineuses ; il contribue à la résistance aux maladies ;

8– aucun danger de surfertiliser car les poudres de roche ne brûlent pas.

QUALITÉS BIOLOGIQUES

▷ Stimule la vie microbienne par sa capacité à fixer l'oxygène et à augmenter l'aération du sol ;

▷ par sa composition légèrement alcaline, Ca et Mg, il favorise les micro-organismes ;

▷ explosion de l'activité des micro-organismes, 3 heures après l'application ;

▷ crée des conditions favorables à la décomposition des débris végétaux et organiques, formation d'humus et de complexes argilo-humiques ;

▷ contient du cobalt (Co: 23 ppm) un élément indispensable aux bactéries qui synthétisent la vitamine B12, une vitamine indispensable aux bactéries fixatrices d'azote de l'air.

OBSERVATIONS

Les résultats spectaculaires de l'épandage du basalte dans tout programme de fertilisation confirment de très anciennes observations :

A) Les sols sur roche-mère volcanique sont presque toujours extrêmement fertiles. Le basalte, roche volcanique, contient tous les éléments nécessaires aux plantes sous une forme et dans une proportion qui semblent particulièrement bien leur convenir.

B) La légendaire fertilité de la vallée du Nil, en Égypte, était due aux limons déposés chaque année par le fleuve en crue. Ces limons sont des débris arrachés aux montagnes du haut cours. L'analyse comparative des limons du Nil et du basalte BIO-ROCHE démontre une étonnante similitude. (Voir l'analyse comparée).

L'utilisation du basalte reproduit un mode de fertilisation qui a fait ses preuves depuis des temps immémoriaux.[1]

ANALYSE COMPARÉE

ÉLÉMENTS	BASALTE %	LIMONS DU NIL %
Silice...........SiO_2	58,60	47,81
Magnésium...MgO	5,51	3,15
Calcium.......CaO	4,32	3,34
Potassium....K_2O	3,61	0,95
Fer...............Fe_2O_3	8,21	10,43
Aluminium..Al_2O_3	16,90	19,49
Phosphate....P_2O_5	0,20	0,26
Soufre........, SO_2	0,55	0,47
Manganèse...MnO	0,13	0,24
Cobalt.........Co	0,0023	
Cuivre.........Cu	0,0056	
Zinc............Zn	0,0142	
Nickel..........Ni	0,0061	
Titane............TiO_2	1,57	2,25
Sodium........Na_2O	1,30	0,77

[1]AUBERT, C., *Encyclopédie permanente d'Agriculture biologique*, Ed Debart, Paris, 1974 p. 3, Poudres de roche siliceuses

LE BASALTE, UNE ROCHE SILICEUSE

Le basalte est une roche siliceuse, (SiO_2 : 58,6 %) probablement la meilleure source de silicium en horticulture. Voici le résumé d'un livre qui confirme nos propos et l'importance de cet élément pour la santé des plantes et la productivité des sols : [2]

Description

(...) Considéré depuis longtemps par les physiologistes des plantes comme un élément non essentiel en agriculture, le silicium a été le centre d'attraction à la première conférence internationale « Silicon in Agriculture », tenue en Floride en 1999.

Quatre-ingt-dix scientifiques, maraîchers, et producteurs d'engrais de silicium de 19 pays ont réfléchi sur ce paradoxe en biologie des plantes et en science agricole. Ils ont reconsidéré l'élément Si : le deuxième élément en importance après l'oxygène dans les sols et absorbé par plusieurs végétaux, en quantités à peu près équivalentes au soufre et au magnésium.

Certaines cultures comme le riz, peuvent contenir des quantités égales ou plus importantes de cet élément, que de tout autre composant inorganique. Cet élément est absent des statistiques sur la composition des plantes et de la revue de littérature de la physiologie des plantes. Les participants de « Silicon in Agriculture » ont constaté l'extraordinaire contradiction entre le contenu de silice des plantes et le peu de recherches entreprises à son sujet.

Les participants, tous actifs en agriculture, avec une orientation vers la production, ont donné et ont reçu d'abondantes preuves des multiples fonctions jouées par le silicium dans la vie réelle des plantes. (...) Des essais en champ et des expériences (...), ont révélé les multiples fonctions de la silice dans la vie des plantes. Parmi ces fonctions sont ressortis, la résistance aux maladies et la tolérance aux métaux toxiques comme l'alumine. Des applications de silicium font souvent diminuer la « verse des céréales », et font que les feuilles s'approprient des orientations plus favorables pour l'interception de la lumière. Dans certaines cultures, en particulier la culture du riz et de la canne à sucre, des rendements spectaculaires ont été obtenus suite à des applications de silicium. Plus récemment, on a rapporté que d'autres productions comme la culture des orchidées, des marguerites et du yucca répondent bien au silicium : leur croissance augmente et le contrôle des maladies est plus efficace.

---

[2] DATNOFF, L.E. et Al., *Silicon in Agriculture*, ELSEVIER, 2001

Dans bien des régions (au Pays-Bas par exemple), les solutions nutritives utilisées pour les concombres et les roses en culture hydroponique, incluent régulièrement de la silice pour le contrôle des maladies. La biochimie du silicium est examinée munitieusement dans l'enveloppe des cellules des plantes, où l'on retrouve la plus grande quantité de l'élément qui pourrait servir de liant entre les polymères d'hydrates de carbone.

Les scientifiques sont de plus en plus convaincus qu'il est fini le temps où, en biologie des plantes, on traitait le silicium comme inexistant. L'élément Si existe, et c'est important.

Bois raméaux fragmentés ou branches déchiquetées

Mercredi, 3 juin 1998, Jean-Pierre Bonin, agronome Bureau de renseignements agricoles de Saint-Hyacinthe, QC.[3]

Les branches brisées par le verglas

(…) Or, il se trouve également qu'un groupe de chercheurs de l'Université Laval ont démontré que ce bois raméal (bois des rameaux ou bois des branches de moins de 3 po) constitue une ressource de très grande valeur pour régénérer tous les types de sols, à condition d'être fragmenté et directement appliqué au sol, sans compostage.

Les scientifiques ont donc rebaptisé ces branches déchiquetées avec un nom à la hauteur de leur valeur : bois raméaux fragmentés (ou encore BRF, pour plus de facilité).

La richesse est dans les branches

Les branches de faible diamètre (moins de 7 cm ou de 3 po) sont extrêmement riches en éléments nutritifs. En fait, 75 % des nutriments de l'arbre sont dans les branches. Elles sont donc de loin plus intéressantes que le bois du tronc.

Afin de rendre tous ces éléments nutritifs disponibles au sol, il est nécessaire de broyer les branches. Cela accélère la digestion de tout le matériel, car cela multiplie les surfaces de contact pour les micro-organismes du sol.

La transformation des BRF produit un humus de très haute qualité grâce à la présence de lignine. Cette substance est transformée en humus par certains champignons (basidiomycètes ou pourritures blanches) qui sont les seuls organismes capables de la digérer. Pour cela, les BRF doivent être incorporés au sol mais pas trop profondément, car si ces champignons ont besoin d'humidité, ils ont également besoin d'air.

La présence massive de champignons va attirer d'autres organismes très utiles comme les collemboles et les acariens qui s'en nourrissent. Ces derniers, à travers leurs déjections, vont faire proliférer certaines bactéries dont se nourriront les protozoaires, qui sont le plat préféré des vers de terre. L'effet des BRF peut durer de 3 à 5 ans sans autre apport de matières organiques.

> ▷ Des améliorations remarquables dans la structure de tous les sols. Cette stabilité structurale est le frein le plus efficace contre l'érosion des sols et le travail du sol devient beaucoup plus facile.

[3]Texte adapté à partir des publications 82, 55 et 79, éditées par le Groupe de coordination sur les bois raméaux de l'Université Laval, Québec, QC.

▷ Une meilleure résistance à la sécheresse grâce à l'humus qui retient l'eau.

▷ Une augmentation de la biodiversité qui s'est traduite par la réduction de la virulence des parasites et du nombre de mauvaises herbes.

▷ Des augmentations de rendements, particulièrement la deuxième année après l'application allant de 30 à 300 % selon les cultures.

▷ Une meilleure qualité des produits : augmentation en matière sèche (de 30 % chez la pomme de terre) et amélioration de la saveur.

▷ Un développement remarquable du système radiculaire et l'apparition naturelle de mycorhizes dans les cultures de fraises, avec des effets très positifs sur le phosphore assimilable.

▷ Une augmentation du pH dans les sols acides.

MÉTHODES ET QUANTITÉ À APPLIQUER

Les copeaux peuvent être assez grossiers et appliqués avec un épandeur à fumier.

1) Taux : 1,5 à 2,5 cm d'épaisseur, soit 150 à 250 T/ha ou 1,5 à 2,5 m^3/100 m^2 ou 2 à 3 v^3/1000 pi^2.

2) Lors d'une première application, on peut introduire en même temps un peu de sol forestier (10 à 20 g par m^2 soit 1 à 2 tonnes par ha) afin de ramener la flore microbienne et particulièrement les champignons, qui sont souvent absents en milieu agricole.

3) Il faut ensuite incorporer superficiellement les BRF aux 10 premiers cm du sol par hersage. Il ne faut pas enfouir les BRF trop profondément, surtout dans les sols lourds, car les organismes qui les transforment ont besoin d'oxygène. Donc, pas de labour immédiatement après l'application.

PÉRIODES D'APPLICATION

Même si les BRF sont riches en azote, il faut attendre quelques semaines pour que les organismes décomposeurs fassent leur travail sans être en compétition avec les plantes. Il vaut donc mieux faire l'épandage en automne : il n'y aura alors aucun effet négatif sur les récoltes l'année suivante.

Si on applique les BRF au printemps, il est recommandé de ne pas ajouter d'azote supplémentaire, ce qui nuirait au processus naturel de décomposition. En ajoutant de l'azote, on favorise le développement de bactéries au détriment de celui des champignons. (…)

LES PURINS VÉGÉTAUX
(D'APRÈS L'AGRICULTURE BIO-DYNAMIQUE)

Les purins de plantes sont comme des tisanes curatives que nous administrons à notre jardin pour en stimuler la croissance, pour l'aider lors de conditions adverses de gel et de sécheresse et pour prévenir des maladies fongiques, les pucerons, les acariens.

GÉNÉRALITÉS :

▷ utiliser un sceau de 20 l de bois, de céramique ou de fonte émaillée rempli aux trois quarts ($3/4$) d'eau de pluie, de rivière (ou d'eau du robinet aérée pendant 4 jours) ;

▷ laisser macérer 1-2 kg de plantes dans 15 l d'eau pendant 3 jours jusqu'à 3 semaines selon la plante ;

▷ 1 ou 2 poignées de poudre de basalte ou de poudre d'Os Fossile réduit l'odeur désagréable. Passer à travers un coton ou un filtre à café ;

▷ diluez toujours 5-10 fois avec l'eau de pluie ou l'eau du robinet aérée, avant d'utiliser les purins dans le jardin ;

▷ Pour plus d'efficacité, dynamisez pendant $1/4$ d'heure (faire tourner l'eau jusqu'à formation d'un vortex, renverser la direction, formation d'un nouveau vortex et ainsi de suite).

LE PURIN DE PRÊLE DES CHAMPS ou queue de renard ou queue de cheval (equisetum arvense) prévient les maladies à champignons, la tavelure et les pucerons. Faites-vous une réserve de prêle pour le printemps suivant ; récoltez la prêle en juillet et faites la sécher à l'ombre.

Macération :

▷ ramasser 2 kg de prêle des champs, laisser macérer pendant 10 jours à 2 semaines dans 15 l d'eau. La macération est plus efficace que la décoction et se conserve 2 mois en récipient fermé.

Décoction :

▷ on peut aussi utiliser une décoction : 300 g de prêle séchée ou 2 kg de prêle fraîche et on les fait bouillir à feu doux 30 minutes.

Passer à travers un filtre à café ; il se conserve 1 an.

Diluer 10 fois et arroser régulièrement le jardin, la serre ou le verger.

Utiliser pour prévenir les maladies à champignons surtout au printemps ou à l'automne : le mildiou, le botrytis, la fonte du semis, la pourriture des tubercules, le noircissement des feuilles, la tavelure,…

En mélange avec le purin d'orties, il combat les pucerons et les acariens.

LE PURIN D'ORTIES (urtica dioica) sert à fortifier les jeunes plants en croissance et toute plante en période de sécheresse.

On ramasse les jeunes plants d'ortie en pleine floraison, au printemps (2 kg dans 15 l d'eau). Faites-vous une réserve pour le printemps prochain.

Macération :

- ▷ on fait macérer la plante dans l'eau de pluie pendant 24 heures et le purin est prêt à utiliser. Diluez 5 fois et arrosez contre les pucerons, les acariens et les aleurodes.

- ▷ Peu après, la tisane change de couleur et sent fort ; elle ne se conservera pas.

Le purin vieilli, dilué 10 fois, sert à activer la croissance des jeunes plants et à préserver le mildiou.

De même, pendant la sécheresse, un arrosage du feuillage par temps couvert ou le soir est très bénéfique et stimulant pour les plantes.

Jeter les plantes macérées et le vieux purin odorant au compost, c'est un très bon activateur.

LE PURIN DE FLEURS DE VALÉRIANE crée un manteau de chaleur pour prévenir le gel et réchauffer la terre et le compost. Il stimule les populations de vers de terre. On y fait tremper les graines pour stimuler leur germination et pour la prévention des maladies fongiques.

Lors de la floraison de la valériane, en juillet, ramasser un sceau de fleurs, tasser, couvrir d'eau de pluie et fermer le contenant.

Macération :

- ▷ laisser macérer au frais pendant 2 semaines.

- ▷ Filtrer dans un coton fromage et extraire le maximum de liquide.

- ▷ Filtrer une 2ᵉ fois à l'aide d'un filtre à café.

Entreposez dans un contenant de verre teinté, fermé avec un bouchon de liège. Utilisation : diluer 5 ml (1 cuillère à thé) de purin dans 10 l (2,5 gal) d'eau tiède, dynamiser pendant 15 minutes en tournant dans un sens, puis dans l'autre, puis dans l'autre, et ainsi de suite.

Arroser le compost et le sol du jardin.

Durant la soirée précédant le gel, entre 17h et 18 h, arroser les plantes d'un jet fin, l'eau ne doit pas dégoutter du feuillage. Des fleurs de pommiers, arrosées au purin de valériane ont résisté à des gelées jusqu'à -6 °C.

LES PURINS DE FLEURS DE PISSENLIT (*taraxacum officinale*), D'ACHILLÉE MILLE FEUILLES (*Achilea millefolium*) et de CAMOMILLE (*Chamomilla officinalis*) régularisent la croissance des plantes et améliorent leur qualité.

Macération :

▷ lors de leurs floraisons respectives, faire macérer 2 kg de fleurs pendant environ 2 semaines dans 15 l d'eau de pluie.

Diluer 10 fois avant d'utiliser et dynamiser pendant 15 minutes.

Arroser le feuillage par temps couvert pour tonifier les plantes.

Les purins développent une synergie quand on les utilise en mélange.

LE PURIN DE FLEURS DE TANAISIE (*tanacetum vulgare*)
Utiliser contre les maladies à champignons et pour éloigner les insectes.

Décoction :

▷ faire une décoction de 2 kg de fleurs fraîches ou de 300 g de fleurs séchées. Laisser refroidir et macérer pendant 12 heures dans 15 l d'eau. Filtrer.

▷ Diluer 10 fois et dynamiser pendant 15 minutes avant d'utiliser.

Vaporiser le feuillage contre le mildiou et la rouille et pour éloigner les insectes du framboisier, du fraisier, du pommier, les noctuelles, le carpocapse, les pucerons, la tordeuse à bandes obliques.

Arroser le sol contre la mouche de l'oignon, de la carotte, du chou et les fourmis.

LE PROGRAMME DE FERTILISATION 100% NATUREL POUR LES GOLFS

A) LES VERTS ET LES DÉPARTS ÉCOLOGIQUES BIO-GOLF

LE PROGRAMME Biologique USAGE INTENSIF, VERTS, DÉPARTS

Début de la saison :

1) épandre le (8-3-3) ou (9-2-2) à 10 kg par 100 m^2 (1000 pi^2) ou 1000 kg/ha

2) épandre le basalte à   10 kg par 100 m^2 (1000 pi^2) ou 1000 kg/ha

En saison :

3) terreauter avec 20 % de compost à 9 kg (20 lbs) de compost/ 100 m^2 (1000 pi^2)

Fin juin :

4) épandre le (8-3-3) ou (9-2-2) à 10 kg par 100 m^2 (1000 pi^2) ou 1000 kg/ha

Fin d'août :

5) épandre le (8-3-3) ou (9-2-2) à 5-10 kg par 100 m^2 (1000 pi^2) ou 500-1000 kg/ha

Automne :

6) terreauter avec 20 % de compost à 9 kg (20 lbs) de compost/ 100 m^2 (1000 pi^2)

B) LES ALLÉES : BIO-GOLF

LE PROGRAMME ÉCOLOGIQUE usage intensif pour ALLÉES DE GOLF

Début de la saison :

1) épandre le (8-3-3) ou (9-2-2) à   10 kg par 100 m^2 (1000 pi^2) ou 1000 kg/ha

2) épandre le basalte à   10 kg par 100 m^2 (1000 pi^2) ou 1000 kg/ha

En saison :

3) terreauter avec 20 % de compost à 9 kg (20 lbs) de compost/100 m^2 (1000 pi^2)

Fin juin :

4) épandre le (8-3-3) ou (9-2-2) à   10 kg par 100 m^2 (1000 pi^2) ou 1000 kg/ha

DIMINUTIONS DE COÛT

(Équipements, intrants et main d'oeuvre)

- ▷ **4 à 6 applications,** au lieu de 8 à 12

- ▷ **Pas de chaux.** Les produits sont basiques et contiennent assez de Calcium.

- ▷ **Pas de déchaumage.** Stimulent les bactéries, le chaume se transforme en humus.

- ▷ **Pas d'aération.** La vie du sol et les vers de terre font un meilleur travail.

- ▷ **Pas d'épidémie d'insectes.** 90% moins d'insectes nuisibles - présence d'insectes bénéfiques et absence de chaume.

- ▷ **Pas de fongicide.** Le basalte et le compost préviennent les maladies fongiques.

LE PROGRAMME DE FERTILISATION 100% NATUREL POUR LES GOLFS

CARACTÉRISTIQUES DES ENGRAIS

Le (8-3-3, Mg) est un mélange d'engrais naturels, très efficace et bien équilibré, fait à partir de :

- ▷ **farine de plumes (13-0-0)** un engrais organique à libération prolongée (140 jours). L'azote organique est 2 fois plus efficace que l'azote de synthèse et les pertes d'azote sont minimales. (Voir Annexe I).

- ▷ **phosphate minéral naturel, Os Fossile, (0-25-0, 32Ca),** phosphate tendre de Tunisie, de la meilleure qualité. Les bactéries du sol de type Athiobaccillus@ transforment le soufre du Sul-Po-Mag en acide sulfurique qui régit ensuite avec le phosphate.

- ▷ **Langbéinite ou SUL-PO-MAG (0-0-22, 11Mg)** sulfate de potassium et de magnésium naturel. Les sulfates de potasse sont de meilleure qualité que le muriate (chlorure).

Grâce à la propriété de libération prolongée de la plume, on applique cet engrais à tous les 2 mois, la dose équivaut presque à 1 kg de $N/100$ m^2 (2 lbs de $N/1000$ pi^2), à chaque application. Même en été, il ne brûle pas parce que la libération de l'azote biologique est ralentie par les hautes températures $>35\,°C$.

BASALTE (Voir : Annexe II)

Le basalte est un type de roche facile à décomposer et bien pour-
vue en éléments fertilisants et en cations : K : 3 %, Mg : 5 %, Ca : 3 %.
En poudre fine, sa réaction est rapide. Riche en magnésium et en
fer (5 % Fe), il fait verdir les gazons en une semaine. Sa décomposition imite les processus de formation du sol. Son effet est remarquable sur les sols légers (sables et sols organiques). Il se transforme
en argile de qualité (développement du complexe argilo-humique).

Le BIO-ROCHE est formé de 57 % de silice (SiO_2). Selon Koeph,
les herbes du gazon sont des plantes à silice, elles en contiennent
10 à 20 fois plus que le trèfle et les dicotylédones. La silice se
trouve dans les organes extérieurs des plantes, à la surface (épi-
derme) et dans l'enveloppe des cellules. La silice empêche les
champignons de pénétrer les cellules et abîme les pièces buccales
des organismes nuisibles. Son emploi dans BIO-GOLF, augmente
la résistance du gazon aux maladies, au jaunissement, au piétinement et à la sécheresse.

Le basalte est un must pour les terrains de sport, les greens, les
allées de golf à grande circulation et tout gazon de qualité.

COMPOST DE FUMIER DE POULETS

En cas de maladies, des applications mensuelles de terreau composé
de aussi peu que 20 % de compost par volume, appliqué au taux de
9 kg (20 lbs) de compost/100 m^2 (1000 pi^2) éliminent efficacement des maladies comme la tache du dollard, la tache brune, le
pythium, l'oïdium, le mildiou, le filament rouge, la brûlure rhizoctone,(…).

Index

Remerciements

À **Lucie-Soleil** de ma vie, ma conjointe, collaboratrice, correctrice, ma poète, ma muse, la jardinière de notre demeure.

À Suzanne Cazelais, Agronome, collaboratrice de la première heure.

À **Léon-Étienne Parent**, Docteur en sols, ami et savant, pour ses commentaires.

À **Hugo Chouinard**, Géologue pour ses commentaires au sujet des poudres de roche.

À **Marcel Arsenault**, photographe, dont les beautés de la Gaspésie égaient ce livre.

À **Édith Smeesters**, pour les photos de couvre-sols.

À **Thérèse Romer**, de la Fondation Jardins Chénier-Sauvé.

À **Nicole Fournier** pour son poème.

Au **Jardin Botanique de Montréal**, pour son grand et merveilleux jardin, l'inspiration du photographe, photos pages 52, 73, 85, 87, 88, 112, 113, 115 en haut, 119 en bas, 124, 127, 131, 138, 139, 143, 144 en haut.

Aux **Jardins de Métis**, mon pays, mes amours pour ce magnifique jardin sis au bord du grand fleuve, photos pages 105, 114, 115 en bas, 137 en haut, 147.

À la **Maison Saint-Gabriel**, Pointe-Saint-Charles à Montréal notre patrimoine architectural, photos pages 117, 133.

À l'**Hôtel Grey Rocks** pour leur beau jardin au cœur des Laurentides, photos pages 71, 119 au centre.

À la **Ferme Florale** de Saint-Bruno, pour l'aménagement page 126.

Au **Parc du Mont Saint-Bruno**, pour la haie brise-vents, photo page 134.

Bibliographie

AIR POLLUTION CONTROL DISTRICT, *Mow down pollution,* County of San Diego.

BONIN, J-P, Bureau de renseignements agricoles de Saint-Hyacinthe, *Texte adapté à partir des publications 82, 55 et 79,* éditées par le Groupe de coordination sur les bois raméaux de l'Université Laval.

AUBERT, C, *Encyclopédie permanente d'Agriculture biologique,* Ed Debart, Paris, 1974 p. 3, Poudres de roche siliceuses.

CINAGRO, *Extrait de fumier de vers de terre,* Boucherville, QC.

COX, C, *Pesticides on Golf Courses : Mixing Toxins with Play?,* in JOURNAL OF PESTICIDE REFORM, Vol. 11, No. 3, Fall 1991.

DATNOFF, L.E. et Al., *Silicon in agriculture,* ELSEVIER, 2001.

Environnement Canada. 2002. *Canada's Greenhouse Gas Inventory 1990-2000.*

GALE, H., *Le grand livre du Feng Shui,* Manise, 2001, p.134, 179.

GÉLINAS, C, *Rencontre sur la problématique des vers blancs,* CAP, 18 juin 2003.

GRANDE ENCYCLOPÉGIE DES PLANTES ET FLEURS DE JARDIN, BORDAS, Paris, 1990.

GREER, L, *Sustainable Turf Care,* ATTRA, University of Arkansas, July 1999.

GROUPE DE RECHERCHE EN AGRICULTURE BIOLOGIQUE, *Fertilisation azotée en Agriculture Biologique,* in *AGRIcultures actualité,* France, GEYSER, no. 5 (1989), pp. 14-19.

HALL J.C. et al., *Non-chemical weed control. II. Effects of mowing height in established turf,* GTI, Université de Guelph, Ontario, Rapports annuels 1992 et 1993.

Karl, Thomas R., Trenberth, Kevin E. *Modern Global Climate Change,* Science 2003 302: 1719-1723.

KOEPH, H *et al., Bio-Dynamic Agriculture,* Anthroposophic Press, NY, 1976, pp. 180-184, 206-224, 341.

MICHIGAN STATE UNIVERSITY EXTENSION, *Mowing lawns* in Turf Series, 4/99.

NELSON, E. B., *Enhancing turfgrass disease control with organic amendments,* in TurfGrass Trends. June 1996, pp. 1-15.

NOVA SCOTIA DEPARTMENT OF AGRICULTURE, tirées de *Lawn Care.*

POTION MAGIQUES pour un jardin en santé, 107 solutions écologiques au jardin,   p. 44.

RICHARD, J *et al., Guide pratique de production de fruits et petits fruits,* 1981, Éditions Broquet.

RI IUIN, C, *Pelouses et jardins sans produits chimiques,* pp. 79-83. Éditions Broquet.

SMEESTERS, É. *et al., Revue des alternatives à la lutte chimique en pomiculture, Principales techniques applicables au Québec,* Nature-Action, 2001, p.21.

SOLTNER, D., *L'arbre et la haie,* pp. 9-15.

SPANGENBERG, B, *Groundcovers as Lawn Alternatives in Shade,* in Lawn Talk, University of Illinois Extention.

THUN, M *in Le basalte, Petit guide d'utilisation,* Soléodyne, Vitry.

THURSTON COUNTY PUBLIC HEALTH DEPARTMENT, *Weed Indicators of Stress Conditions and Control Options,* Olympia, WA, USA.

VOISIN, A, *La productivité de l'herbe,* Paris, 1957, pp. 40-44.

Wisconsin, Dept. Of Natural Resources, *Method for calculating Carbon Sequestration by Trees in Urban and Suburban Settings.*

POUR CONTACTER L'AUTEUR :
E-mail : james.mcinnes@sympatico.ca